AKWABA

DES NOUVELLES D'AFRIQUE DE L'OUEST

Mcollection
osaïque

– nouvelles –

ÉDITIONS ADAGE INC.
DANIELLE SHELTON, éditrice
12 306, boulevard O'Brien
Montréal, Québec H4J 1Z4
tél.   514 336 2938
téléc.   514 336 0614
adage@adage-edition.com
www.adage-edition.com

Maquette de la couverture
et mise en pages   Danielle Shelton enr.

Photographie de l'auteur   Nicolas Clouâtre

Révision   Carole Gaudreau

Catalogage avant publication de Bibliothèque et Archives Canada

Lingane, Zakaria, 1963 -

   Akwaba : des nouvelles d'Afrique de l'Ouest

   (Collection Mosaïque)

   ISBN 2-921956-17-9

   I. Titre. II. Collection : Collection Mosaïque (Montréal,
   Québec).

   PS8573.I536A89 2004   C843'.54   C2004-941545-X
   PS9573.I536A89 2004

L'éditrice remercie le Conseil des Arts du Canada de l'aide
apportée à son programme de publication. Elle remercie
également la SODEC, du ministère de la Culture
et des Communications du Québec, de son soutien.
Les éditions Adage inc. bénéficient du Programme de crédit
d'impôt pour l'édition de livres du gouvernement du Québec
– gestion SODEC.

Zakaria Lingane

AKWABA

DES NOUVELLES D'AFRIQUE DE L'OUEST

Adage

À Abissetta,
    ma chère sœur prématurément arrachée à notre joie.

À Émile Ollivier
    dont le rire-roulement de tambour ne résonne plus.

1

Le masque du poisson-chat

À part la date de ma venue au monde, tout est vrai dans mon jugement supplétif d'acte de naissance[1] : mon prénom, pour les faveurs d'un homme mort sur une croix, mon nom de famille, comme héritage de l'illustre lignée paternelle. Je suis Jean Sebueng. Mon sexe est masculin, c'est ce qui est écrit. La chose en soi ne me gêne pas, mais vu la récente survenue, Jean ne me semble plus être un bon prénom. Pour le moment, je m'en contente, j'ai assez de trouver le sien. Avec son premier cri, elle a anéanti la vie que j'avais. À présent, je suis deux moitiés, chacune avec moins de vie.

Je suis né dans le village d'Opu, un hameau qu'ignorent la plupart des cartes. Sur cette langue de sable coincée entre la forêt et la mer, dans un delta de mangrove et de palétuviers, se serrent quelques huttes chaussées d'échasses, velléités de maisons sur pilotis constituées d'un précaire amalgame de torchis et d'objets rejetés par la mer. Il y a un cimetière aux tombes recouvertes par des filets de pêche, c'est la tradition.

À partir du mois de juin, les pluies et les crues font monter le niveau de la lagune, la prépare pour l'accouplement.

---

1 Jugement supplétif d'acte de naissance : équivalent d'un acte de naissance établi longtemps après la naissance officielle d'un enfant par arrêté d'un officier d'état civil, sur la foi des dires des parents et de deux témoins ; le jour et le mois de naissance sont approximatifs ; généralement n'y figure que l'année de naissance, parfois supposée.

Lorsque le cordon du littoral s'ouvre pour l'union des deux eaux, la douce entre dans la mer, la salée pénètre dans le delta. Jusqu'au mois d'octobre, toutes les espèces nagent et fraient dans ce généreux vivier. Moi, Jean Sebueng, descendant des gardiens de l'estuaire, je suis aussi mêlé que les eaux qui font se marier lagune et océan.

C'est, peut-être, que j'appartiens à un peuple halieutique, comme l'a déclaré jadis un anthropologue blanc logé chez le chef avec tous les honneurs. Encore nombreux sont les aînés du village d'Opu qui se souviennent du charabia de cet homme à la couleur de langue de dauphin et de ses curiosités, eux qui croyaient, avant sa venue, n'être que des pêcheurs égarés sur une côte perdue. En réalité, comme la brousse a fait des chasseurs-cueilleurs ses fils, l'eau a fait de même des pêcheurs-cueilleurs que nous sommes. Lors du pacte originel, elle nous a livré ses secrets en nous permettant de lire la vie de nos proies cachées sous l'immensité liquide. Les hommes dardent le mérou, capturent les machoirons, les crevettes, les crabes, les mulets, les sardines... tout ce qui vit dans le bleu liquide. Les femmes transforment les prises en provisions salées, séchées, fumées ou fermentées. Je suis, assurément, d'un peuple immémorial.

Le jour où j'ai été enlevé par les porteurs de masques, ma mère s'est lamentée. En vain, mon temps était venu de vivre parmi les hommes du clan des Abrong, de connaître la signification cachée des choses. Réunis autour de la *boloon kuma*[2], nous étions une cinquantaine d'adolescents, crânes rasés, vêtus seulement d'un cache-sexe, les corps enduits d'un mélange d'argile et de graisse de maquereau.

– Vos mères pleurent! a tonné le *Nciqa-jii*[3]. Nous n'attendons de vous que courage et obéissance! Soyez heureux de

---

2 *Boloon kuma* : maison-qui-émet-du-bruit.
3 *Nciqa-jii* : maître du littoral.

quitter le monde de l'enfance impure et ignorante! Vous serez, jusqu'à la prochaine lunaison, votre propre père et votre propre mère! Vous apprendrez à attirer *N'dazula*[4] hors de son repaire pour qu'il laisse s'échapper les poissons couvés sous son ventre. Vous apprendrez à faire des sacrifices à *Ntofué*[5], votre animal totémique, afin qu'il vous protège lors de vos sorties en mer.

Le *Napa-jii*[6], le *Fani-jii*[7] et les aînés nous ont accompagnés à la *boloon jii wilila*[8], une retraite de l'île de Keakopa. Nous avons chanté et dansé, nous avons été soumis aux silences, aux vociférations et aux railleries. Mais surtout, nous avons survécu aux épreuves, et enfin est arrivé le cinquante-septième jour. Chacun allait recevoir un *trojii*[9], signe de son mérite, et les cinq instruments des fils des eaux : le *naa-tuu*, le *dir-tuu*, le *dia-tuu*, le *kro-tuu* et l'*oyo-tuu*[10]. Ces récompenses du rite du masque du poisson-chat couronneraient la circoncision.

Mon tour venu, j'ai serré les dents. Je me voulais à l'image des impavides palmiers nains qui, balayés par les vents du large, savent ployer sans rompre ni crisser. Après m'avoir dénudé, l'officiant a palpé mon entrejambe. N'y trouvant qu'une misère, il m'a jeté un regard furieux puis, d'un coup sec, m'a enlevé ce qu'il a pu agripper. Mon sang a giclé.

– *Riso! Riso! Riso!*[11] ont hurlé les aînés qui l'assistaient.

---

4 *N'dazula* : génie baleine qui dort au fond de l'eau.
5 *Ntofué* : lamantin des fleuves d'Afrique ; mammifère herbivore aquatique au corps massif avec des mamelles, atteignant trois mètres de long et pesant jusqu'à 500 kg.
6 *Napa-jii* : maître de l'estuaire et grand ordonnateur de l'ouverture des pêches annuelles.
7 *Fani-jii* : maître de l'anse.
8 *Boloon jii wilila* : maison-qui-atteint-la-marée-haute.
9 *Trojii* : fétiche.
10 *Naa-tuu* : harpon ; *dir-tuu* : nasse ; *dia-tuu* : filet ; *kro-tuu* : hameçon ; *oyo-tuu* : poignard pour ouvrir le ventre des poissons.
11 *Riso!* : cri incantatoire intraduisible.

On m'a traîné au milieu des cris et du bruit des mains frappées en cadence. Mon visage n'avait pas tressailli, j'étais un homme. Sans aucun doute, j'étais fils et mâle. C'était une certitude que venait de consacrer le *Nciqa-jii*. On m'a appliqué un cataplasme d'herbes qui cautérisent. Mes coinitiés, qui avaient vu que je n'avais pas grand-chose à empoigner pour me vider de mes liquides, se moquaient de moi, oubliant leur propre douleur. Je n'avais jamais eu un solide pieu, je doutais d'aller en profondeur. Après ce brutal raccourcissement, j'ai continué à espérer une repousse vigoureuse au cœur de la mousse rabougrie de mon bas-ventre. Je pensais au *sekko*, l'herbe-sécheresse qui, coupe après coupe, feu après feu, désherbage après désherbage, réussit à s'extirper à nouveau du sol dès la première générosité du ciel.

Devenu mûr sans que survienne de miracle, il me fallait tout de même songer à fonder ma propre concession[12]. Mon père m'encourageait à aller m'exercer à taquiner les prétendantes au marché hebdomadaire de Lampto. J'espérais qu'Adam Obieng, mon ami d'enfance et d'initiation, mon compagnon de pêche, accepterait de m'y accompagner.

Mais quelques semaines après une sortie en mer avec lui, où notre barque s'était remplie de poissons, j'ai senti le pus s'infiltrer dans mon ventre. Des nausées, des crachats disgracieux, des vertiges, des fourmillements aux jambes, des envies de manger toujours autre chose que du poisson. Enflé comme un noyé, la panse en l'air au milieu du ressac, j'évacuais mes humeurs par tous les orifices. Ma bedaine énorme et cireuse me traînait. Mon mal remplissait de poids mes chairs, mes facultés et mes peurs. J'étais devenu incapable de reprendre le large.

Mon désespoir durait depuis quatre mois quand j'ai fait ce rêve : *N'dazula* inondait ma bouche grande ouverte d'eau de

---

12 Fonder ma propre concession : acquérir une unité d'habitation familiale.

mer, m'en gorgeait. J'ai bientôt été si gonflé que je suis devenu baleineau. Mes parents, inquiets, m'ont emmené chez l'*Engaka*[13]. Il a parlé à *M'pondo*, l'esprit de nos ancêtres, puis m'a fait des saignées pour sortir le maléfice de mon ventre. Il m'a donné à boire la décoction des quinze variétés de feuilles qui purifient les humeurs, la potion des huit racines amères pour soulager les maux d'estomac. Enfin, pour rendre mon esprit invisible aux mauvais desseins de l'ennemi qui m'avait jeté un sort, il a porté à ma bouche de la viande de caméléon.

Pourquoi suis-je allé pêcher, ce jour-là, avec mon ami Adam Obieng? Il est un excellent pêcheur, capable de ruser avec les vieux espadons. Il maîtrise l'art des flots. Un coup à gauche, un coup à droite. Au village, on lui trouve des manières d'homme-femme. Je n'en ai cure, sa compagnie me plaît. Après notre pêche miraculeuse, alors que nous nous apprêtions à rentrer au village, il a proposé de me procurer d'autres satisfactions que les hauturières. Dans cette immensité salée, le ciel au-dessus de moi, ses mots ont assiégé ma concupiscence et je suis devenu prisonnier de la tentation. «Personne ne le saura, m'a rassuré Adam. Ce sera très bon.» Violenté par le désir, mon corps, qui n'avait pas même connu la masturbation, s'est laissé dévêtir. J'ai fait taire mes derniers scrupules en me persuadant que l'expérience me permettrait d'aborder les filles avec plus d'assurance, car je n'avais pas encore appris à les connaître. C'est ainsi qu'Adam et moi avons imité le couchant qui allait s'endormir sur la mer. Ce que nous avons fait est resté notre secret.

Un démon nous a poussés à frayer sur le territoire interdit des génies des eaux, m'attirant le courroux du *porejii*[14]. Malédiction! Mois après mois, avec la sensation du liquide

---

13 *Engaka* : homme-médecine, sorcier guérisseur.
14 *Porejii* : hydropisie ; maladie qui enfle les tissus de sérosité, particulièrement dans l'abdomen.

salé dans les vaisseaux de mon cœur, de tout mon corps, jusque dans mon âme, la maladie qui fait enfler s'est faite si insistante qu'elle a obligé mes parents à me conduire à un poste de santé primaire, à plusieurs heures de pirogue. Tassé au fond de l'embarcation, je me suis recroquevillé autour de mon ventre trop plein, dans les affres de l'agonie de mon être, croyant sonnée l'heure de mes derniers tourments. La vue brouillée par le vertige, le corps trempé d'intenses sueurs, j'ai souffert tout au long du voyage d'un impérieux besoin de me vider devant et derrière.

Enfin, je me suis retrouvé entre les mains de femmes apaisantes. Agrippé aux barreaux d'un lit, j'ai crié, hurlé, sué, poussé de toutes mes forces. Un fleuve est sorti de la danse de mes côtes et de mes entrailles. Un cri a jailli. Entre mes cuisses, un bout de chair, emmêlé de tripes, a vagi et geint. J'avais été gros d'elle, cette chose charnue faite de ma chair, recouverte de mon sang, visqueuse de ses mucosités.

On n'apprend pas aux hommes à se comporter utilement dans ce genre de situation. La gorge orpheline de parole, j'ai fait signe qu'on l'approche de mon corps perclus d'incertitude. Je l'ai touchée. Déjà sa bouche avide cherchait l'outre nourricière. J'ai senti mes seins se remplir d'une promesse de nectar blanc. Une larme m'a échappé.

Mon père est venu à mon chevet. Voici ses mots :

– Mon fils, quelle est cette semence qui a pu mûrir entre tes flancs ? Un mauvais esprit, sans doute, venu de quelque lieu oublié. Tu ne peux faire mentir ce qui est et ce qui a été. Quel que soit son sexe d'emprunt, l'escargot, à la fois mâle et femelle, ne peut marcher debout. Tu n'es pas escargot. Ou si tu l'es, tu n'es pas humain. J'ai thésaurisé bien des malheurs, le poids d'une vie d'humain, mais ton désordre est sans pareil, toi mon fils devenu mère d'une chose sans nom. Ton corps a accouché d'un non-être que je dois ignorer si je ne veux pas dévisager ma propre fin. Tu ne vas pas nous séparer de nos ancêtres, faire de nous des animaux ou pire, des démons qui vaquent à leurs pratiques de sorcellerie. Je ne suis pas requin suant le sang, dépecé encore vivant par ses congénères. Ma mort n'est pas consommée, et tu ne la prendras pas avant le terme tracé. Demain, avec mes fatigues de cette malédiction, j'irai apaiser nos mânes[15] à Torla[16], le village abrité des pluies. Pour moi, te voilà éclipsé du monde de ceux qui ont des humeurs chaudes. Spectral et sentencieux, mon père s'est retiré, faisant place à ma mère. Dans son visage à moitié camouflé dans un fichu, j'ai lu un désir réprimé d'embrasser le rejeton. Les larmes, soucis des faims de l'esprit, ont afflué sur ses joues. Elle est restée ainsi, immobile, jusqu'à ce que ces mots lui viennent :

– Je ne peux guérir de la nostalgie de toi en moi. Avant toi, des filles, rien que des filles et le regard de ton père chargé de querelles, sa descendance perdue. Femme ne peut hériter ni nom, ni cases, ni pirogues, ni vergers. Alors je t'ai porté, je t'ai accouché garçon, puis je t'ai donné le bain en constatant toute ton ambiguïté, mais il y en avait suffisamment pour que tu sois de sexe masculin, car il y a des hommes courts. Grâce à toi, seul enfant mâle que les génies de l'eau ont bien voulu nous donner, respect m'a été retourné par ton père et aucune autre femme d'Opu ayant ventre à donner naissance n'est venue partager sa couche. Tu as grandi le corps vêtu d'habits masculins et ton père t'a fait initier en compagnie de tous les jeunes hommes de ta génération. Tu as porté le masque du poisson-chat réservé aux hommes. Tu es devenu un bon pêcheur. Mais, il est vrai, j'ai toujours eu un mauvais pressentiment. Aujourd'hui, le présent me donne raison. Mon fils, tu as donné une suite à notre sang, à notre lignage. Ton père peut

---

15   Mânes : aïeux considérés comme vivants dans l'au-delà.
16   Torla : village de troglodytes réservé aux rituels de protection ; littéralement, village sous abri ou sous parapluie.

congédier ce lien, moi je ne peux refuser la vérité de mes entrailles. Tu es chair de ma chair, l'enfant est ta chair, donc la mienne : tu m'honores du mérite de grand-mère. Je ne sais pas encore ce qui se décidera pour moi, Marie, femme de François Sebueng, du clan des Abrong. Comment mon ventre sec pourrait-il servir de nid à un frère ? Que ferai-je, répudiée, à mon âge ? Quoi qu'il puisse m'arriver, vous serez de ce monde pour témoigner de ce que j'ai été et de ce que je laisserai. Pardonne-moi, pardonnez-moi tous les deux, mais mon époux a raison : votre patrie n'est plus chez nous, allez très loin d'ici et ne revenez jamais.

Ma mère est sortie, sans nous donner sa bénédiction. Une femme vêtue de blanc, la sage-femme qui avait mis mon enfant au monde, est alors venue à mon chevet m'expliquer l'étrangeté de cette vie que j'avais donnée :

– Monsieur Jean, à votre arrivée, nous vous avons examiné pour savoir de quoi vous souffriez. Nous avons pratiqué un examen gynécologique et constaté que vos organes féminins sont davantage développés que vos organes masculins.

Ainsi, je suis devenu mère dans une barque au milieu de la mer, en m'abandonnant à toutes les envies du bas-ventre, en goûtant aux plaisirs des orifices confondus.

Un sage a dit qu'un enfant, c'est celui qui met sa mère au monde. Ma fille m'a mise au monde. Pour elle, j'ai accepté de m'essayer à être femme et mère. Personne ne m'a demandé qui était son père. Personne de mon village ne m'a honorée selon les usages, personne n'a tué un cabri, personne n'a accepté d'enterrer mon placenta sous le *wareti* [17] clanique,

---

17 *Wareti* : ficus à latex et aux racines aériennes ; arbre protecteur planté en l'honneur du premier enfant né d'un mariage. Cet arbre « saigne » facilement de sève, ce qui l'apparente à un être humain en pleurs. Chaque placenta est placé dans une poterie pour être enterré à son pied. Le placenta est considéré comme le « jumeau » du nouveau-né. Cet organe est regardé comme un être incomplet, comme un « reste ». Le placenta dont on fait une composante de la personne détermine la destinée future du bébé.

personne ne m'a offert la traditionnelle soupe de seiche et la bouillie de manioc, personne n'a préparé mon bain rituel. Des semaines ont passé. J'ai trouvé un prénom pour ma fille : elle s'appelle Esporina. C'est écrit sur son acte de naissance avec l'heure, le jour, le mois et l'année de son arrivée. Où irons-nous ? Le problème n'est pas l'endroit, dit le proverbe, mais le chemin.

2

Mort, respecte ton contrat

Je navigue dans une mer infinie de souffrances et de pleurs. Je n'ai aucun répit. L'ouvrage ne me fait pas défaut. Mon travail porte le nom que j'ai. Je m'appelle Mort.

Depuis un temps fort éloigné, j'ai charge de libérer les êtres du travail de vivre. Je tue, j'assassine, j'enlève la vie, je fais rendre l'âme, je retire du monde des vivants, j'immole, je décime, je zombifie. Je fabrique des défunts, des disparus, des regrettés, des cadavres, des dépouilles, des trépassés, des macchabées, des squelettes.

J'ai le choix des armes : mort naturelle, subite ou à petit feu, mort accidentelle, mort violente. Tout me facilite la tâche : la cupidité, la jalousie, la rivalité, la haine, la pauvreté, le manque d'hygiène, la faim, la soif, les guerres, la torture, les inondations, les tremblements de terre, l'usure des corps, la maladie... Autrefois, j'obtenais mes plus grands succès avec la peste. Aujourd'hui, je fais dans le moderne, avec le sida et l'Ébola. Demain, je ne sais de quelle calamité je jouerai le mieux. La guerre, elle, est indémodable, et très efficace pour réduire des communautés.

Le plus souvent, je frappe un individu. Pour arriver à mes fins, je dispose de tous les articles de ma profession. Pendaison, strangulation, décapitation, empalement, écorchement, crucifixion, écartèlement, suffocation, écrasement, éventration, lapidation, coup d'assommoir, coup de poignard, coup de feu, bûcher, noyade, empoisonnement, arrêt cardiaque, accident cérébro-vasculaire et j'en passe, mon catalogue est vaste. Mes préférés sont la sorcellerie et l'erreur médicale, mais je les utilise avec circonspection. Certaines fois, quand il le faut, je n'hésite pas à me livrer à un massacre, à un carnage, à une hécatombe, voire à un génocide.

Il n'est pas rare que je mette en scène mon arrivée. Par exemple, je peux avoir recours à une infection bénigne pour préparer un corps affaibli à l'attaque sournoise d'un incurable virus. Il m'arrive aussi d'orchestrer une imparable sortie de route dans une courbe, suivie d'une mortelle chute de vingt mètres. Ou encore, de tout simplement glisser une idée noire dans la tête d'un envieux et de le laisser faire mon travail.

Quand je me sens ludique et que j'œuvre auprès de cultures qui y sont sensibles, je m'annonce par des présages. Ainsi, pour prévenir de la mort d'un proche, je fais bâiller un mouton. Lorsque je fais entendre le cri du daman[1] en pleine journée, alors que cet animal ne se manifeste que la nuit, on sait que quelqu'un va mourir. Celui qui aperçoit un mille-pattes le matin, célébrera ses funérailles le soir même. L'autre qui voit un écureuil grimpant à un arbre la bouche pleine de feuilles vertes comprend qu'il a tout à craindre de moi dans les jours qui suivent.

Dans mon genre, je suis un artiste. Au moment où je frappe, je peux figer sur le visage de mon client un sourire paisible. Cela est somme toute assez commun. Lorsque je me sens davantage inspiré, je crée une œuvre unique en réduisant la dépouille que j'ai sous la main à une masse informe qui répugnerait à sa propre âme.

---

1 Daman : petit mammifère d'Afrique ressemblant à une marmotte.

Je le dis à regret, la majorité de mes trépassés tombent rapidement dans l'oubli. Quelques-uns seulement deviennent des héros, des martyrs, voire des mythes. Je me retiens de trop m'enorgueillir de ces réussites.

On ne me convaincra pas que mon métier de tueur est horrible. En vérité, je régénère le vivant. Je suis jardinier. J'élague les branches moribondes pour permettre aux plus saines de se gaver de sève. Je prends et je donne. Je fais de la place aux nouveaux venus. Parfois, je suis obligé de sacrifier de beaux bourgeons pleins de promesses. Si je les laissais tous, il y en aurait trop. L'arbre étoufferait. Et puis, ces injustices – comme certains s'ingénient à qualifier ces disparitions dans la fleur et la force de l'âge – ont un effet bénéfique : elles fixent le prix élevé de la vie.

Certes, on me craint, mais en même temps on m'honore dans des milliers de rites funéraires. À chacun de faire, comme il l'entend, le deuil que je provoque. J'apprécie les innombrables rituels d'enterrement, particulièrement ceux qui sont bien faits, comme les pyramides de Gizeh, les bûchers de Varanassi, l'immersion des peuples maritimes, la pâture aux vautours chez les Parsis de l'Inde, les jarres-cercueils du lac Tchad... En revanche, je déteste les humains prétentieux qui cherchent à limiter mon pouvoir en tentant de reculer leur départ, ceux qui s'illusionnent sur l'espérance de vie de leur corps en décrépitude, ceux qui signent des contrats de congélation de leur dépouille, ceux qui rêvent de clonage. Ils sont risibles.

Je ne dirai rien de la résurrection, de la réincarnation, ni même de l'au-delà, ce n'est pas mon affaire. J'appartiens à une grande caste spécialisée dans le départ. Certains de mes confrères s'occupent des chairs animales, d'autres des minéraux et des métaux, d'autres encore des plantes, des eaux ou des gaz. Moi, je fais dans les humains.

J'ai un code d'honneur : ne jamais faiblir ni faillir. Les considérations humanitaires sont contraires à mon éthique. La sensibilité m'est un sentiment inconnu. Enfant ou vieillard, riche ou pauvre, africain ou asiatique, chrétien ou hindou, faible ou puissant, innocent ou coupable, gens de haute, de moyenne ou de basse extraction, ce n'est pas à moi de discerner. Je n'embarrasse ma mémoire d'aucun remord. Dans ce travail que j'exerce avec allégresse, j'ai commis une imprudence, une grave imprudence. Ô contradiction insurmontable, je n'aurais pas dû! Mais ce qui est fait est fait. J'ai pactisé avec l'humain Kwabena. À présent, il ne veut pas respecter l'exceptionnel marché que j'ai conclu avec lui. Pour me remercier de ma magnanimité, cet homme égoïste interfère dans le sursis que je lui ai concédé, il y a de cela fort longtemps. Pourquoi s'obstine-t-il tant à altérer la logique et la raison de la mortalité? J'ai tout fait pour le rendre à la raison. Je suis allé le voir, en ami, pour lui dire que son heure était venue, mais il a refusé de m'accompagner. J'ai longuement argumenté avec lui :

– Écoute la voix du bon sens. Écoute-moi, toi, Kwabena le surcentenaire. Tu as dépassé depuis longtemps l'âge de ton père, mort patriarche. Tu as eu bien des années au-delà d'un siècle. Tu n'as pas suivi l'ordre naturel des choses, tu as duré plus longtemps que tous ceux que tu as engendrés. Tes deux épouses et tes neuf fils ont pris ma route pour ne plus revenir et toi, tu traînes encore le pas. Regarde-toi, tu es déchéance, maigreur! Ton corps est dévoré par l'arthrite. Tu souffres d'une fatigue de longs cheminements et de la fragilité de tes muscles en épis de maïs. Tu es diminué! Un paquet d'os à peine retenu par une peau craquelée. Guère plus qu'une ombre! Vois la couleur de ton teint! Couleur cadavérique! Et cette odeur qui te colle à la peau, c'est la mienne!

– Écoute-moi bien, Mort! Oui, je suis vieux, j'ai mal partout, mais j'ai sauvegardé quelques forces pour rester encore sur terre.

– Je ne peux te laisser vivre ! Les humains ne comprendront pas ! Tu deviendras divinité humaine, ce qui n'est pas possible !

– C'est ton problème. Je ne veux pas de toi. Je préfère continuer à vivre.

– Quelle est cette manière désespérée et vaine d'écarter le moment où il te faudra accepter la vérité ? Je suis irrémédiable ! Je dois faire mon travail ! Tu dois mourir ! Tout doit mourir ! Le corps n'est qu'une demeure provisoire ! Sois raisonnable, viens avec moi, sois mien. Je te donnerai une mort digne qui ne sera ni douloureuse, ni infâme. Je t'éviterai toute frayeur. Les villageois te célébreront, ils te feront la fête de grand départ que tu mérites, toi, le sage, le plus ancien et vénérable vieillard ! De quoi as-tu peur ? Tu as été un homme bon. S'il y a une vie après la mort, je n'ai aucun doute que tu en tireras profit. Selon ta coutume, tes ancêtres ne t'attendent-ils pas ?

– Non, Mort, tu ne me convaincras pas. Respecte ton contrat !

Vieil entêté ! Ingrat ! J'ai dialogué encore et encore et, en désespoir de cause, monologué en employant des mots appropriés, des arguments pondérés et logiques. Je me suis heurté à son insistance d'âne. Il le savait, j'étais ligoté par ma parole donnée : je ne pouvais l'éliminer contre son gré. Je lui avais offert l'éternité, en oubliant de préciser qu'elle était tout de même limitée dans le temps.

Dans un cas inédit comme celui-là, une situation critique, je n'avais d'autre choix que de m'en remettre au tribunal de mes pairs où siégeaient Mort des gaz, Mort des eaux, Mort des minéraux, Mort des métaux, Mort des plantes et Mort des animaux. C'est ainsi qu'aujourd'hui, j'ai été convoqué pour prendre la parole, en présence du vieillard récalcitrant.

– Mes chers confrères, j'ai commis une faute professionnelle, il y a de cela bien des années. Descendu au village de
Forobi pour y chercher un vieillard qui ne contrôlait plus
ses intestins, j'ai croisé un jeune homme vêtu d'un magnifique
kenté[2] qui découvrait une épaule musclée. L'harmonie de ses
traits, sa démarche noble s'accordaient merveilleusement à
sa carrure d'intrépide guerrier. Comprenez mon émotion du
moment, honorables meurtriers. J'avais l'habitude des malades émaciés, des corps purulents ou mutilés, transpercés par
des flèches ou des lances, enflés par la noyade, gluants du sang
d'un mauvais accouchement... Kwabena m'est apparu comme
l'antithèse de ces horreurs. Pareille perfection humaine est
chose infiniment rare chez un sujet humain masculin. J'ai été
subjugué par cette perfection sculpturale. Je suis allé lui faire
part de mon admiration, le comparant à une orchidée qui aurait
miraculeusement prospéré sur un champ de bataille encore
jonché de cadavres. C'est alors que j'ai agi sottement : en
échange de son amitié, je lui ai offert de le laisser vivre autant
qu'il le désirerait. Il a accepté, à la condition que je lui per-
mette de désigner, à chacun de mes passages, l'âme que je
devais emporter. Je lui ai concédé ce pouvoir, me réservant
toutefois le privilège d'exiger plus d'un mort. Il a été loyal,
même quand il s'est agi de ses épouses et de ses enfants, j'ai
pu en ravir trois à la vie, d'un seul coup. Des décennies ont
passé. Vous le voyez, ce n'est pas la jouvence qu'il a gagnée
dans ce marché. J'ai pensé qu'il était temps, vu les fatigues
qui le rongent, de le soulager de son exceptionnelle longévité.
Alors, un matin, je suis allé le trouver pour lui signifier que
c'était son tour. Il s'est révolté, m'a rappelé notre pacte et a
refusé de m'accompagner. Voilà les faits.

---

2 Kenté : pagne cérémoniel des peuples akan, fait d'un riche tissu.

Kwabena a pris la parole à son tour. Après avoir rappelé à la funèbre assemblée toute l'histoire de son amitié avec moi, il a achevé sur cette conclusion :

– Mort m'a manqué de respect. Sans me prévenir, il est venu me demander de l'accompagner. Il a tenté, sournoisement, de me prendre ma vie, en contradiction avec notre contrat. Je considère que je suis en droit de refuser de mourir et c'est ce que je fais.

Le tribunal des dernières heures de présence sur terre s'est retiré pour délibérer. Au retour, Mort des gaz, président de l'assemblée, a rendu ce verdict :

– Mort des humains, vous avez conclu un mauvais marché. Il y aura, contre vous, sanction professionnelle et rétrogradation aux minéraux. Humain Kwabena, votre mauvaise foi ne vous honore pas. Chaque fois que Mort venait dans votre village pour y faire son travail, il vous donnait à penser à votre propre trépas. Vous ne pouvez ignorer que la mort est inscrite dans toute création et qu'elle se présente inopinément. Retournez dans votre village et faites vos adieux. Le remplaçant de Mort des humains qui, lui, ne vous doit rien, viendra vous chercher quand bon lui semblera.

3

MAMI WATA

La plage de Boué est un endroit exceptionnel où se mêlent les eaux traîtresses de la lagune mangeuse d'enfants et celles, imprévisibles, de l'océan Atlantique dévoreur de pêcheurs. Au plus clair des nuits, il vient quelquefois du large un concert de gorges porté par les effluves salées. Ces sons curieux émanent des amants qui, après avoir abandonné leurs vêtements sur la grève, ont quitté le monde humain pour rejoindre *Mami Wata*, être hybride, mi-aquatique, mi-terrestre, représenté le plus souvent sous les traits d'une femme blanche.

De la mer, je connaissais prosaïquement les poissons, les noyés, la barre et les pêcheurs *ahounan* qui avaient la terrible réputation de sacrifier un humain aux esprits aquatiques, à l'ouverture annuelle des pêches. De mes cours de géographie, il m'était resté un vocabulaire émaillé d'îles, de presqu'îles, de marées, d'embouchures, de côtes, de mangroves, de littoraux, d'alizés... Mes parents, pour leur part, m'avaient enseigné que le génie *Gun-Kuala*[1] interdit les rapports sexuels au bord de l'eau. Ils m'avaient mis en garde contre ce quatrième élément du monde, bien plus traître, disaient-ils, que la terre, le vent et le feu.

---

1 *Gun-Kuala* : génie des eaux.

– Garde-toi toute ta vie de la mer et de ses rumeurs! Fils, évite de t'approcher de la grande étendue salée, car à trop saler son plat, on perd son repas, m'avait averti mon père.

Sans doute, Osman n'avait-il pas été prévenu. Ou alors, il était de ceux que le destin conduit à la nymphe *Mami Wata*. Je partageais une chambre avec lui, à l'hôpital de Popody. Cela n'avait rien de reposant. Tout le jour, le regard vide, il ne cessait de débiter des mots hallucinés :

– *Mami Wata*, ton disciple va revenir vers toi, attends-moi, maîtresse des eaux, je suis en retard, pardonne-moi, beauté réunie de toutes les femmes, sois généreuse, j'implore ta magnanimité...

Par moments, cessant ses incantations, il descendait de son lit et se mettait à gesticuler avec frénésie, jusqu'à ce qu'une écume blanche perle à la commissure de ses lèvres. Alors, tout aussi soudainement qu'il s'était levé, il se recouchait et recommençait à prier la nymphe.

Parfois, il s'adressait directement à moi :

– C'est la vérité, Osman te le jure, petit frère[2], avec respect! Dis-leur que j'ai rencontré *Mami Wata*! Elle va mettre fin à ma vie de misère, elle me l'a promis.

La nuit, comme la pierre qui se cache pour souffrir, mon voisin s'enroulait dans son drap, de la tête aux pieds. Il demeurait immobile jusqu'au matin, dans un mutisme angoissant. On aurait dit un écheveau torturé. Dans cette atmosphère, je ne parvenais pas à trouver le sommeil.

Le troisième matin, j'avais éprouvé un réel soulagement quand on était venu me chercher pour un examen. À mon retour dans la chambre, une heure plus tard, Osman avait disparu. Il s'était tout bonnement enfui. Dans cette métropole où il y avait plus de malades que de lits d'hôpitaux, on ne tentait jamais de

---

2 Petit frère : façon familière de nommer un cadet, en fonction des classes générationnelles.

retracer les patients disparus, le plus souvent de parfaits incon-
nus qui avaient été amenés par on ne savait qui.

✗ ✗ ✗

Osman, c'est le nom que m'ont donné mes parents pour
traverser la vie en bon musulman et entrer au Paradis. Je suis
donc Osman.

J'ai été amené à l'hôpital de Popody avec autant d'égards
qu'un sac de riz. Ils m'ont dit que c'était pour mon bien, que je
méritais la médecine de ceux qui étaient passés du côté des
désemparés. Ils m'ont donné un guéris-vite parce que j'étais
maigre et mourant de la tête. Que pouvais-je faire d'autre
qu'accoucher tout le jour de paroles propitiatoires et me
recroqueviller quand la nuit profonde, hâtivement, s'installait
dans ma prison?

Pourquoi ne veulent-ils pas comprendre? Pourquoi par-
lent-ils d'un délire de la fièvre? Pourquoi veulent-ils me faire
dire que je suis de ceux qui sont revenus de la plage de Boué
la tête remplie d'eau salée?

– *Mami Wata*! *Mami Wata*! Femme de feu, femme
d'ivresse... *Mami Wata*!

Je ne suis pas de ceux qui mentent pour se faire valoir.
Beaucoup disent son nom sans savoir de qui ils parlent. Moi,
je l'ai vue! Je le jure sur la tête de mes enfants! Elle m'a
emmené derrière la barre. Elle a chanté pour moi dans la nuit
du croissant de lune. Un chant d'eau comme je n'en avais
jamais entendu dans nos fêtes et à notre radio nationale.

Cet homme, *Ladji* [3] Wenbedi, le *wak tigui* [4], j'ai suivi
toutes ses instructions, j'ai tout fait correctement. Je me suis

---

3 *Ladji* en fait *El Hadj* : prestigieux titre arabe pour tous ceux qui ont
effectué le pèlerinage musulman à la Mecque.

4 *Wak tigui* : sorte de sorcier-rebouteux à la fois géomancien et vaguement
marabout.

purifié par les sept préparations rituelles : le bain pour la souillure, les ablutions pour la peur sur les parties et les orifices de tout le corps, le bain pour la relation avec une génie, le bain d'honneur, le corps oint de beurre de karité mélangé aux préparations médicinales, l'ombre d'autrui éloignée de la mienne, aucune relation sexuelle depuis deux semaines. J'ai pris la valise qu'il m'a donnée et, sans l'ouvrir ni en parler à quiconque, je l'ai dissimulée sous mon lit.

La nuit venue, je me suis déshabillé sur la plage de Boué, puis j'ai avalé la potion aphrodisiaque des amants de *Mami Wata* tout en murmurant la série d'incantations que *Ladji* Wenbedi m'avait fait apprendre par cœur. Il fallait du courage. La barre frappait la plage avec rage. On aurait dit que les grains de sable, charriés et brassés par des vagues courroucées, me prévenaient du danger. Je craignais que des tremblements involontaires, semblables à ceux des fièvres paludéennes, ne me secouent. Cela a été difficile, mais j'ai réussi à ne pas montrer ma peur.

– La moindre frayeur, la seule tentation de renoncer et ce sera ton infortune, m'avait prévenu avec insistance le *wak tigui Ladji* Wenbedi.

Et comme je n'avais pas répondu, tant ma gorge était nouée, il avait encore insisté :

– Osman, m'as-tu bien compris ? Tu dois être valeureux, sinon arrêtons tout maintenant. *Mami Wata* n'est pas le genre de femme à qui on dit non. Si tu ne la charmes pas comme elle veut, tu auras l'enchantement d'une nuit, mais tu reviendras fou ! Et surtout, ne lui cache rien, car elle sait tout de toi… Si tu lui mens, tu ne t'en sortiras pas vivant. Te voilà averti !

Malheur ou félicité, mon heure était arrivée. La rencontre pouvait m'être aussi bien mortelle que divine. Pendant l'attente, je scrutais malgré moi les noirceurs, les zones d'ombre que les rayons de la lune pénétraient. Mon regard inquiet cherchait d'autres amants qui pourraient s'aviser de me disputer cette rencontre. Personne. Seuls les bruissements des voilures, des cocotiers et des cabanes assoupies au loin répondaient à mes soupçons.

Tout s'est calmé subitement et le *wak tigui* m'est apparu : – Tu ne dois pas avoir peur, Osman! *Mami Wata*, la convoitée, est là! Devant toi! Pure! Lumineuse! Splendide!

Alors, je le jure, les vagues se sont portées à la plage en une discrétion liquide accompagnées d'une merveilleuse mélodie. La plus belle femme que j'aie jamais pu imaginer s'est offerte à ma vue : d'interminables cheveux retenus par un diadème, des yeux ensoleillés dans la nuit, des seins pleins et fermes comme les mangues de Bomiak, une courbe de hanches, le corps moulé dans une jupe tissée de pièces d'or étincelantes et, aux poignets, des bracelets de feu que l'eau ne parvenait pas à éteindre. Baignée dans un halo, elle lévitait sur l'écume bouillonnante, blanchâtre.

Saisi, je demeurais immobile, bouche bée au milieu du temps et des bruits suspendus. J'écarquillais les yeux, peinant à croire! Je le jure! Que je me noie si je mens!

Mami Wata m'a fait signe! La bise a soufflé, m'apportant ses paroles :

–Viens goûter à ce qui commence sous mes hanches que l'écume te cache.

Aussitôt, mon cœur s'est mis à battre des rythmes enchantés et mes reins ont été obsédés par les surprises divines qu'elle me promettait. Je sentais une grande vigueur dans mon bas-ventre. Je vibrais de désir. J'étais en feu.

C'est alors qu'elle m'a souri et j'ai vu, dans son sourire, mon lendemain qui chantait. J'ai commencé à avancer vers elle, à la suivre. L'eau était froide, mais la promesse de tant de bonheur me faisait oublier l'engourdissement de mon corps nu.

Foulant la mer, encore et encore, jusqu'à perdre pied, je suis arrivé au-delà de la barre, là où les vagues ne se querellent pas.

– Rassure-toi, m'avait dit *Ladji* Wenbedi, dans la mer tu seras l'eau dans l'eau.

Mami Wata m'a invité à plonger avec elle dans les profondeurs abyssales. Je ne sais comment, mais je suis devenu poisson, avec des nageoires et des branchies, des écailles à la place de ma peau. J'étais dans l'eau, à n'en pas douter, mais j'avais le corps sec, comme à l'intérieur d'un imperméable. Et tout ce que j'avais imaginé dans le plus insensé de mes rêves, était à présent à ma disposition. Aux prises avec les méchancetés de la vie, j'avais enfin mon destin !

Je ne peux dévoiler ce qui s'est passé ensuite. J'ai promis de taire les détails. C'est notre pacte, sinon je risque ma vie !

Alors que j'étais encore dans cette volupté marine, *Mami Wata* m'a dit :

– Heureux homme, cette nuit, tu m'as satisfaite. Mais il est temps de partir.

Le *wak tigui* m'avait prévenu. Je ne devais pas insister, car cela lui déplairait et je perdrais tout. Alors, malgré le brasier insatiable qui me dévorait toujours, je lui ai répondu :

– Je te remercie pour cette nuit de rachat de toutes mes misères. Grâce à toi, j'ai connu la passion. Me donneras-tu la fortune ?

– Oui, je remplirai des pièces d'or de ma jupe la valise que tu as dissimulée sous ton lit, mais pour cela, il faut que tu fasses quelque chose pour moi.

Mami Wata savait, pour la valise et la cachette, comme l'avait dit le *wak tigui* ! J'étais prêt à tout lui accorder.

– Avant le lever du soleil, a-t-elle poursuivi en souriant et en ondoyant de la croupe, tu devras m'avoir sacrifié ta femme, Fatima. Va, Osman, il ne te reste que quelques heures d'obscurité.

C'était son prix. Il n'y avait pas à discuter.

– Osman, m'a prévenu la nymphe en me congédiant, si tu ouvres la valise avant d'avoir accompli ton épreuve, elle demeurera vide. Mais si tu fais tout ce que je te demande, je t'offrirai en plus de la fortune, une autre nuit de délices.

Je me suis retrouvé – je ne sais comment – étendu sur la plage de Boué. *Mami Wata* et ses baisers liquides avaient disparu.

Le temps se raccourcissait devant moi. Je me suis rhabillé rapidement, pressé de rejoindre ma bicoque avant le jour. Quel choix avais-je, sinon celui d'aller au bout de mon épreuve et de revenir au plus vite sous les auspices cléments et généreux de la nymphe ? Ce n'était pas cher payé pour la félicité promise en échange.

✘ ✘ ✘

Rien de tout cela ne serait arrivé si je n'étais pas né sous un mauvais jour. La veille de ma fête de bienvenue parmi les humains, le mouton sacrificiel avait malencontreusement rendu l'âme dans la nuit. Ma défunte mère – mânes[5] de nos ancêtres – avait tout tenté auprès des intercesseurs rituels. En vain, le mauvais œil me suit depuis.

Dès le lendemain de notre mariage, Fatima s'est montrée criailleries, récriminations, lamentations, jérémiades, plaintes et jurements, sa bouche de poisson mort ne s'ouvrant que pour proférer des méchancetés. Pas un jour sans que ce scolopendre venimeux ne m'ait traité de fainéant, faisant de moi une statue de l'amertume. Même la nuit, de la profondeur de son sommeil, ma fielleuse de femme m'a désespéré en ronflant comme un vieux camion Berliet qui râle ses vitesses sur une douloureuse pente.

---

5   Mânes : *op. cit.* note 15, p. 11.

Cela faisait des années que je voulais me sortir de cette
vie de reproches et d'insatisfactions.

– Imbécile! criait-elle à tue-tête, du lever au coucher.
Sans mon commerce de beignets, que mangeraient nos cinq
enfants? Regarde ton fils aîné, le fruit de ton sang et de ta
paresse! Un rabougri! Un tire-au-flanc! Quelle offrande ai-je
oublié d'adresser au *Nkap*[6]? Quel interdit ai-je violé pour
mériter un époux comme toi? Une bicoque entrer-coucher, six
bouches à nourrir, de l'eau à porter chaque jour depuis la
fontaine, l'huile, le mil et le riz à acheter avec le peu qu'on a,
les repas à préparer, la lessive à faire! Je n'ai que des misères
et des vauriens dans cette maison!

J'étais tailleur, tout de même! Enfin, chaque jour, ma
machine à coudre chinoise sur l'épaule, tel un colporteur, je
sillonnais les rues et les venelles, de concession en concession[7], pour chercher de l'ouvrage. Je reprisais et rapiéçais les
haillons pour leur donner quelque allure, une nouvelle vie.
De temps à autre, des *mamas*[8], avec méfiance, me confiaient
des caleçons, des culottes de bambins, des boubous[9] «habille-
moi vite» à tirer d'étoffes déchirées.

Une vie d'âne remâchant les malheurs de ma condition,
voilà! c'était ça, ma vie. Et c'est tout le temps que je devais
écouter sans broncher cette femme née pour m'apporter des
malheurs. Et supporter qu'elle me batte. Que pouvais-je, ra-
chitique et déficitaire comme un poulet-bicyclette[10], face à
une vache aussi bien en chair?

Voilà pourquoi tout cela est arrivé. Ne pouvant m'oppo-
ser à Fatima sans risquer de me faire écrabouiller, j'en étais

---

6 *Nkap* : divinité protectrice de la fécondité et des mères.
7 De concession en concession : de maison en maison.
8 *Mamas* : ménagères, mères de famille.
9 Boubous : longues tuniques flottantes portées en Afrique subsaharienne.
10 Poulet-bicyclette : poulet domestique vivant en liberté, maigre et très
    véloce.

venu à me dire que si j'étais capable de ramener femme plus belle et plus fraîche à la maison, cela fermerait le clapet de cette mégère. La tradition l'obligerait à accepter ma nouvelle épouse. Je pourrais même la répudier dans le cas où elle ferait des problèmes. Ah! Awa, avec ses fines attaches de gazelle, était une belle fille, aussi belle que la dot de démesure que son père exigeait. Nombreux étaient les prétendants qui frappaient à sa porte. L'infâme charognard leur disait qu'il devait veiller non seulement aux noces réussies de sa fille, mais aussi à la façon dont elle devrait être gâtée dans son futur foyer.

La petite me travaillait si bien l'esprit, que je suis allé voir le *wak tigui*, un homme d'une grande réputation, à la fois thaumaturge, ancien pèlerin à la Mecque et grand marabout. De *Ladji* Wenbedi, on ne disait que du bien : femmes adultérines confondues, empoisonnements et envoûtements retournés aux commanditaires, études primaires réussies, billets gagnants à la loterie, réconciliations avec des ancêtres fâchés. Sa cour ne désemplissait pas!

Chez lui, dans son intérieur sombre, tout respirait son pouvoir sur les êtres, les animaux et les choses : l'odeur forte des peaux de porcs-épics, de serpents, de caméléons, les reptiles empaillés, les cornes, les becs, les ongles, les serres de tout ce qui vole là-haut, les besaces accrochées, les herbes, les jarres, les empilements de livres écrits en arabe...

Il m'a reçu en habits blancs, assis sur un coussin. Un regard lui a suffi, avec ses yeux clairs rehaussés de *kalé*[11], pour être capable d'égrener mes attentes sans que je ne dise mot.

– Je vois que tu n'es pas satisfait de ta femme, que tu en désires une autre et que tu es sans le sou. Je ne suis pas compétent en œuvres miraculeuses. Seuls les esprits le sont.

---

11   *Kalé* : poudre minérale qui empêche le blanc de l'œil de rougir.

Parfois, je fais commerce avec eux, j'intercède pour les humains comme toi, qui ont besoin d'un miracle qui vaincra le mauvais œil et leur fera rencontrer la fortune. J'étais sidéré. Le *wak tigui* lisait dans mon dedans. Il me contait toutes mes humiliations et d'autres choses de moi que je ne connaissais pas. Il me faisait voir ce que je n'avais effleuré qu'en rêve.

– Tu es venu pour ressaisir ton destin mal engagé. Tu as bien fait. Tes malheurs nécessitent grande quantité de prières et de travail. Mais le crayon de Dieu a une gomme.

Ladji Wenbedi a lancé des coquillages devant lui, sur un tapis de sable.

– Regarde, m'a-t-il dit, les cauris[12] se sont alignés pour former une vague. La terre a des commandements : le travailler, le boire, le manger, le dormir, le pleurer, le souffrir. Tous les jours, il faut y penser si l'on ne veut pas quitter la vie prématurément. Pour les malchanceux, comme toi, cela signifie ne jamais avoir de temps pour être heureux. La mer sera ton salut. Si tu le mérites, je te guiderai vers *Mami Wata*. Et elle, si tu as le courage de la suivre dans les profondeurs de la mer, te donnera les moyens de sortir de ta misérable existence.

– Mais, grand homme, je suis humain, pas *ntofué*[13].

– Je vois que tu n'es pas prêt. Va-t-en ! je ne peux rien pour les sceptiques.

Durant la semaine qui a suivi, j'ai croisé plus d'une fois Awa. Elle savait que j'étais en affaire avec son père et m'adressait des sourires de surenchère.

À la maison, toujours les ordres et les mêmes reproches.

---

12 Cauris (*cypraea moneta*) : petits coquillages importés des îles Maldives pour servir, en Afrique occidentale, à la fois de monnaie et d'objets religieux dans l'art de la divination issue des pratiques de géomancie. Ils ont aussi une fonction esthético-religieuse dans la confection des costumes et des objets à caractère magique ou culturel.

13 *Ntofué* : *op. cit.* note 5, p. 7.

– Homme, fais ceci! Homme, fais cela! Homme, pourquoi
n'as-tu pas fait comme je te l'ai dit? Pourquoi t'es-tu mêlé de
cette affaire? Quand comprendras-tu que tu n'es qu'un vau-
rien?

Et comme si cela ne suffisait pas, j'avais cassé ma machine
à coudre en piquant la vilaine ceinture de cuir d'un loqueteux,
et je n'avais pas même de quoi la faire réparer. Désormais
incapable de rapporter à la maison les quelques sous quoti-
diens qui m'évitaient les pires quolibets, je suis retourné chez
le *wak tigui*.

– Je te reconnais, m'a-t-il dit. Tu es venu me demander de
préparer ton esprit et ton corps à rencontrer *Mami Wata*.
Comme la première fois, le saint homme lisait en moi.

– Il me faut un gage pour sceller notre alliance, a-t-il
poursuivi, une somme que tu trouveras modeste quand tu
considéreras tout l'or dont *Mami Wata* te couvrira si tu réus-
sis à lui plaire.

À dire vrai, la somme exigée par *Ladji* Wenbedi était
colossale.

– Ta richesse sera telle, a ajouté le *wak tigui*, qu'elle
t'attirera le respect et l'obséquiosité de tout le quartier! Tu
auras de quoi répudier Fatima et payer la dot de ta nouvelle
épouse. Tu auras tout ton content de plaisirs : la bonne chère
du restaurateur sénégalais dans ton ventre, une nouvelle maison en dur, bien à toi et qui fera pâlir de jalousie tes voisins,
les beaux vêtements des vitrines des marchands levantins sur
tes épaules... Tu découvriras la clémence des reins des femmes
de petite vertu, les chants et les belles histoires d'amour des
films hindous... Il ne tient qu'à toi, Osman, de rattraper tous
les jours maigres qui t'ont desséché au fil des ans.

Je suis rentré chez moi en me triturant les méninges.
Comment réunir la somme sinon en prenant un prêt chez
Wari, le seul à qui pouvait s'adresser un pauvre pour ce genre
d'affaire? Il ne fallait pas juger cet homme à l'air débonnaire

que lui donnaient sa panse rebondie et sa démarche de caméléon. Ni aux sourates protectrices du livre saint qu'il débitait en égrenant son chapelet de nacre. Je le savais, l'homme était un usurier redouté, insensible aux sursis. On disait qu'il avait déplié sa natte devant la porte d'un débiteur récalcitrant et s'y était couché jusqu'à ce qu'un arrangement se soit ensuivi. Aussi, personne ne se risquait à avoir de mauvais comptes avec lui, par peur de l'humiliation de voir une affaire privée rendue publique.

Qu'avais-je à mettre en gage, sinon notre pauvre bicoque? Ce n'était pourtant pas assez, alors j'ai du me résoudre à faire main basse sur une bonne partie des économies de Fatima, qu'elle croyait en sécurité dans un pot de millet. C'est ainsi que j'ai remis à *Ladji* Wenbedi le paiement de son travail d'entremetteur auprès de *Mami Wata*. Il m'a félicité et a commencé le jour même mes préparatifs. Quand il m'a jugé prêt, il m'a donné ces quelques derniers conseils :

– Il te faudra faire bon usage de ta nouvelle fortune : tu feras l'aumône aux pauvres et tu honoreras tes ancêtres de sacrifices.

Je ne demandais pas mieux.

✗ ✗ ✗

Quand je suis arrivé chez moi au sortir de ma nuit dans les bras de la nymphe, ma bicoque était déserte. Sur les nattes déroulées au sol, aucun des cinq enfants conçus au cours de nuits mendiées, et dans le lit conjugal, pas de Fatima !

– Maudite femme de malheur créée pour me nuire ! Où es-tu donc passée ?

J'ai remonté la mèche de la lampe. La valise de *Ladji* Wenbedi était toujours dans sa cachette, mais je me suis rappelé les paroles de *Mami Wata*. Je ne devais pas l'ouvrir

avant d'avoir payé le prix demandé. Il me fallait trouver
Fatima avant le lever du soleil, sinon mon infortune n'aurait
pas de borne. Un couteau et un pilon se sont révélés à mes envies
meurtrières. Les armes dissimulées sous mes vêtements, je
me suis mis à courir d'une cabane à l'autre, rameutant le voi-
sinage. J'ai crié le nom de Fatima dans toutes les rues et les
venelles encore noyées de noirceur. Dans ce dédale tortueux,
des chiens insomniaques grognaient sur mon passage. Les
plus audacieux aboyaient. Aucune trace de cette misérable
créature.

Je suis arrivé devant la porte de tôle ondulée du *wak
tigui*. J'ai frappé comme un fou :

– *Ladji* Wenbedi! *Ladji* Wenbedi! Ouvre! Ouvre! C'est
moi, Osman!

Il m'a reçu. Comme toujours, il savait tout avant que
j'ouvre la bouche.

– Qu'y puis-je, Osman? Tout ne s'est-il pas passé comme
je te l'avais dit? N'as-tu pas passé une nuit d'extase auprès de
Mami Wata? Ne t'a-t-elle pas promis la fortune en retour
d'un sacrifice? C'est à toi seul que cela incombe!

J'ai instantanément senti la parole m'abandonner. Le saint
homme avait raison.

Les yeux éberlués et les sens étourdis, je suis reparti
au hasard. Qu'allais-je devenir? Mon or! Ma bicoque! Mes
enfants! Awa!

– Que t'arrive-t-il mon fils? m'a demandé un vieillard. Tu
ne sais pas l'heure qu'il fait? As-tu besoin d'aide?

– Oui, mon aîné, je cherche mon épouse, Fatima. Il me
faut la voir avant le lever du jour!

– Je lui ai acheté un beignet hier matin, ici même, dans
cette rue, devant cette maison qui est celle du prêteur Wari.
Tiens, le voilà qui sort, sans doute dérangé au milieu de ses

rêves par ton tintamarre. Peut-être en sait-il davantage que moi.

– Osman le tailleur ! Es-tu si pressé de me rembourser ton prêt que tu viennes ainsi en pleine nuit ?

– Je te rembourserai dès que j'aurai retrouvé Fatima, mon épouse !

– Tu as perdu ta femme ! se moqua Wari.

C'est alors que j'ai vu mon voisin, Madou le boucher, se dirigeant vers moi avec le pas de celui qui porte une nouvelle.

– Ah ! voisin Osman, je te trouve enfin ! Reçois mes condoléances. Ta femme est venue me voir vers les neuf heures du soir, affolée après t'avoir cherché en vain. Elle m'a demandé de t'annoncer qu'elle partait sur-le-champ dans la province de Kedougou, avec ses enfants, pour assister aux funérailles de son frère subitement mort. Elle ne sera de retour que dans une semaine.

Ces paroles m'ont fait bondir : aux portes de ma destinée, le sort encore une fois se tramait contre moi, me disputant mon avenir, me tirant en arrière, me vidant subitement l'âme. Un irrépressible hululement jamais entendu a alors jailli de mes côtes pour déchirer la nuit. À quand ma baraka ?

– J'hallucine ! Il me faut Fatima tout de suite, ai-je crié à la foule tirée de son sommeil, sinon comment voulez-vous que la prophétie de *Mami Wata* remplisse ma valise d'or ?

À cette évocation de la nymphe, des rires tonitruants se sont élevés de l'assemblée. La moquerie avait subitement remplacé la colère. Cela m'a mis encore plus hors de moi.

– Ah ! Ah ! C'était donc ça ! a dit l'usurier Wari. Tu ne remettras plus les pieds dans ta maison qui ne t'appartient plus, pauvre fou ! Je ne voudrais pas être à ta place quand ta femme rentrera au village, a-t-il ricané.

Atterré, j'ai sorti le couteau et le pilon de dessous mes vêtements. J'ai voulu lui sauter à la gorge, mais les autres se sont précipités sur moi pour m'arracher mes armes. Je me suis débattu avec une énergie que je ne me connaissais pas et, les sens égarés, je suis parvenu à leur échapper. Je n'avais plus qu'une idée en tête, l'or de *Mami Wata*. Il fallait que je reprenne ma valise au plus vite, mon salut y était enfermé. Elle n'avait pas bougé de dessous le lit. Je l'ai attrapée et je suis retourné sur la plage de Boué. En arrivant à l'endroit où j'avais entendu l'appel de la nymphe, j'ai ressenti une peur à pétrifier le cœur. Par ses prémices, l'aube s'annonçait déjà. En pleurant de mon corps, j'ai supplié la nymphe.

– Fatima est une morte en sursis ! Elle est à toi, *Mami Wata* ! Suspends le temps jusqu'à son retour, que je puisse t'obéir !

Je suis resté sur la plage une semaine, sans lâcher ma valise. Dormant le jour, implorant *Mami Wata* la nuit. Les fumeuses de poisson m'ont fait l'aumône de quelque nourriture et d'une vieille couverture rapiécée.

– Ah, *Mami Wata* ! Ensorceleuse ! Maîtresse des eaux, beauté réunie de toutes les femmes ! Ne m'abandonne pas ! Il y a erreur sur mon sort ! Donne-moi une deuxième chance !

J'ai enterré la valise dans le sable et, l'esprit enténébré, je me suis mis en route pour le quartier. Fatima la venimeuse allait payer, un jour ou l'autre, pour ma vie de désolation.

✗ ✗ ✗

Des années plus tard, le souvenir du malheureux disciple de *Mami Wata* qui avait partagé ma chambre, à l'hôpital de Popody, me hante toujours. Et pour cause. J'ai été si frappé par cet homme aux yeux amarrés au large, que cette rencontre a par la suite orienté mes recherches en psychologie. Je me suis dès lors attaché à développer, dans ma pratique, une approche thérapeutique de nature à la fois psychanalytique et mythologique, la première renvoyant à l'hystérie et l'autre à

l'envoûtement, avec toutes les ambiguïtés, souvent irration-
nelles, qui s'y mêlent. Au fil des ans, j'ai affiné mes méthodes
en consultant de nombreux guérisseurs et malades. Progres-
sivement, les envoûtés de la sirène sont devenus ma spécia-
lité. Mais je n'ai plus entendu parler de l'homme de la plage
de Boué. Certains jours, je me demande si quelque chose de
cette folie mêlée de béatitude de l'homme lutiné par *Mami
Wata* ne m'aurait pas échappé.

4

LE MANGEUR D'ÂMES

– ... Dans aucune de nos lois il n'est écrit que l'irrationnel peut servir de justification à un meurtre prémédité. En condamnant les frères Ganamé à vingt-cinq ans de réclusion criminelle, vous enverrez un signal clair aux obscurantistes qui freinent la modernité en défendant les mauvaises traditions, la superstition et la sorcellerie. Je vous remercie, mesdames et messieurs les jurés.

– Monsieur l'avocat général, la Cour vous remercie également. La parole est à vous, Maître Fall.

– Merci, Monsieur le juge. L'inexplicable et le surnaturel existent-ils ? Comment répondre à cette question fondamentale de nos disputations juridiques, quand le législateur lui-même se refuse à trancher ? Ceux qui traquent et abattent les sorciers, ou les prétendus tels, ont au moins le mérite d'être clairs : l'homme africain n'est pas seulement matériel ; il a un aspect immatériel qui peut être agressé. La justice a beau condamner les débusqueurs et les châtieurs de sorciers empoisonneurs, bourreaux et envoûteurs, cela ne change rien au fond du problème : le juge condamne la conséquence et non le mobile. C'est que notre justice refuse de considérer l'hypothèse que la sorcellerie puisse exister réellement, avec pour objectif principal de nuire. Si elle le faisait, elle comprendrait que nous sommes fondés à nous demander, nous qui avons l'avantage d'accéder à la vérité derrière les abominations de nos prévenus, pourquoi les trois frères Ganamé du village de Toesé, qui ne sont pas des criminels récidivistes et retors, ont maintenu et défendu depuis deux ans leur explication du crime et ce, jusque devant ces Assises. Ils ont refusé le verdict d'une justice coutumière qui leur aurait évité la honte de leur arrestation par les gendarmes, les souffrances de la détention préventive derrière les barreaux, les tracas de la procédure judiciaire républicaine et ce tribunal. Mesdames et messieurs les jurés, votre Honneur, vous l'avez entendu à plusieurs reprises depuis l'ouverture de ce procès, ces humbles paysans ont subi la brutalité de nos forces de l'ordre, l'infamie des conditions d'emprisonnement dans notre pays, la torture même, et tout cela sans être ébranlés. Ils s'en tiennent mordicus à leurs déclarations premières faites au chef de village et aux gendarmes. Cette affaire, comme vous l'avez constaté, a fait les manchettes de nos journaux et plusieurs, dans l'opinion publique, croient à la version des accusés. Mesdames et messieurs les jurés, regardez en face et sans honte votre culture, et écoutez votre intime conviction ! Si cela ne suffit pas à vous persuader de l'innocence de mes clients, alors tenez compte, comme cela est votre devoir, des nombreux témoignages de ceux qui ont défilé à cette barre à la décharge des frères Ganamé, je veux parler des victimes d'actes de sorcellerie qui freinent notre progrès social. La défense vous conjure encore une fois, mesdames et messieurs les jurés, de ne pas perdre de vue que dans notre pays, des millions de concitoyens sont régis par des valeurs et des pratiques qui sont à l'opposé de la stricte observance de notre Code pénal. Demandez-vous pourquoi nous avons créé un ministère des Affaires religieuses et des Cultes mystiques et vous reconnaîtrez que mes clients ne sont pas coupables. D'autant moins que ce n'est pas par vengeance qu'ils ont agi, mais pour défendre leur vie. Les condamner serait une regrettable erreur judiciaire. Par conséquent, je demande à cette Cour l'acquittement pur et simple des trois frères Ganamé !

– Merci, Maître Fall, pour cette intéressante introduction à une jurisprudence que vous souhaitez voir naître de ce procès. Quant à vos accusations contre le travail de ceux qui se battent pour maintenir l'ordre, vous pourrez les adresser au ministre de l'Intérieur, au ministre de la Justice ou à *Amnesty International* puisque nous sommes en démocratie. À présent, questionnons la vérité et à la fin, nous rendrons un verdict éclairé, car justice doit être faite pour éviter que se renouvellent semblables tragédies. La justice pure, dois-je vous le rappeler, ne peut légitimer le meurtre, encore moins sa préméditation, quelles qu'en soient les raisons. La parole est maintenant aux prévenus. Ou plutôt à leur porte-parole, Rasmane Ganamé.

– Avec votre permission, Monsieur le juge, je vais commencer par remercier Maître Fall. Moi, plusieurs dans une bouche, mulâtre de l'honneur de mes deux frères, je n'oublierai jamais son plaidoyer de bon sens et de vérité. Deux ans que nous sommes prisonniers, morts en sursis dans vos cachots – antichambres de la mort – en attente que nous poussent les broussailles blanches sur la tête. Malgré toutes les tortures qu'on nous a fait subir, nous n'avons aucune rancune et puisque vous le demandez, Monsieur le juge, je vais raconter une fois de plus ce que depuis le début de cette terrifiante affaire, nous avons vécu ensemble, mes frères et moi. Pardonnez-moi si, en cours de route, je me répète ou si je parle trop longuement, mais il me faut faire la somme de nous trois et aider à prendre une décision juste. Je formule le vœu que vous et les membres du jury écoutiez avec vos oreilles bien ouvertes afin de tout entendre et de ne rien oublier. Toutes nos paroles ne peuvent se tromper ! Mais avant, permettez-moi, Monsieur le juge, d'exprimer que par votre nom de famille, je reconnais en vous un *tengbiiga*[1], un fils de la terre, comme nous. Avec tout mon respect, je ne crois pas que votre robe noire et votre confiance dans les papiers des Blancs puissent vous faire oublier d'où vous venez. Certains parmi nous, vous le savez, sont des êtres malfaisants. Ces *kinkirsi*[2] mangent nos âmes, parfois par petits bouts, quelquefois subitement. Si vous retournez au village, vous verrez la maladie de la jalousie et des rancunes. Votre sommeil sera dérangé par les cris d'effroi de ceux qui commencent à se faire manger. Alors, la peur coulera de vos pores, car aucun courage ne peut les affronter. Il n'y a pas de nuit sans que chacun se demande qui a été désigné pour être la prochaine victime. Qui mourra bientôt d'une courte maladie? Qui aura un accident fatal? Car, des *kinkirsi*, nous mourons toujours après qu'ils nous aient dévorés. Ils nous mangent à crédit et nous payons après de notre vie. Nous marchons le vendredi tandis que, le mardi, nous avons servi d'ingrédient principal dans leur festin à la sauce des fleurs de *fromager*[3] qui a la couleur rouge de ce qui coule dans notre corps. Monsieur le juge à la robe noire, peut-être vous mangeront-ils un jour...

– Maître Fall, rappelez votre client à l'ordre. Qu'il cesse ses intimidations et se contente de rapporter les faits. Ce qui intéresse cette Cour, c'est uniquement ce qui s'est passé avec Katio Sagha.

– Monsieur le juge, à la défense de Rasmane Ganamé, j'invoquerai qu'il met en contexte les événements, pour le

---

1 *Tengbiiga* : fils de la terre, membre de la classe sacerdotale gardienne des traditions religieuses autour de la divinité de la terre nourricière et des forces atmosphériques ; dans les sociétés africaines, ce groupe représente les autochtones, premiers possesseurs de la terre et donc intercesseurs des esprits, bons ou mauvais, qui y circulent.
2 *Kinkirsi* : djinns.
3 *Fromager* : très grand arbre des régions tropicales, à bois blanc et tendre, dont les fruits fournissent le kapok (bourre végétale).

bénéfice du jury, afin que tout doute soit levé sur l'exactitude des faits qui sont lui reprochés, ainsi qu'à ses deux frères. Car comment juger, dans cette affaire, sans une compréhension globale des croyances villageoises?

– Cela suffit, Maître Fall! Que votre client poursuive, en s'en tenant aux faits.

– Ma bouche pour trois, Monsieur le juge, accuse le vieux Katio Sagha d'avoir donné en festin l'âme de trois des nôtres à ses congénères, hommes et femmes-animaux. Quand nous arrivons à connaître ces mangeurs d'âmes – ce qui est extrêmement rare –, nous les épions au milieu des nuits favorables, souvent après les récoltes, pour observer à quelles activités nocturnes ils se livrent. Nous savons que pour se rendre à leurs festins, ils se dévêtent de leur peau humaine qu'ils cachent soigneusement dans un endroit secret de leur case. Cette enveloppe charnelle leur permet de se dissimuler parmi nous. Réduits à leurs corps faits de muscles saignants, ils peuvent alors se transformer en feu follet pour se rendre à leurs sinistres cérémonies. Il y a quelques années, Kassoum, notre propre cousin, a été démasqué! J'étais parmi ceux qui ont trouvé sa peau dans une jarre et l'ancien qui nous accompagnait a demandé de la saupoudrer généreusement de piment fort, en poudre. Ce que nous avons fait. Dès l'aube, Kassoum a commencé à hurler, pris de démangeaisons effroyables. Il s'est gratté avec rage jusqu'à rendre dans le sang son âme de sorcier.

– Maître Fall, votre client s'éloigne une fois de plus de ce qui intéresse cette Cour.

– Monsieur le juge, Rasmane Ganamé ne fait que rapporter un cas similaire qui prouve...

– Qui ne prouve rien du tout! Que votre client en arrive à ce que lui et ses frères ont fait subir au vieux Katio Sagha.

– Certainement, Monsieur le juge... Dites la vérité à cette Cour, Monsieur Ganamé.

– Monsieur le juge, vous nous accusez d'avoir tué Katio Sagha, mais nous, les trois frères, n'avons tué que le mal qui s'était emparé de lui. Nous avons jugé bon de l'envoyer s'expliquer au ciel. Mais avant que nous passions aux actes, nous avons regardé notre père Bilah, notre sœur Oumou et notre cousin Omar se vider de leurs intestins et de leur vessie, puis mourir. Les moribonds ont pour destin de trépasser pour que le ciel ne soit pas orphelin et que les mânes[4] de nos ancêtres ne soient pas seuls. Une fois morts, morts en bien et de bonne mort, ils viennent parfois nous parler sous l'arbre où nous reposons nos fatigues des champs. Ou encore, ils entrent dans nos cases d'un pas humble, presque gênés de nous déranger. Mais de ce qui se passe là-haut, où les morts ne peuvent se mentir et se faire du mal comme ici-bas, nous n'avons aucune nouvelle pour le moment, malgré les six oreilles attentives de notre famille survivante.

– Les faits, Monsieur Ganamé, seulement les faits...

– J'y viens, avec tout votre respect... Quand le vieux Katio Sagha trépassa dans le buisson où nous l'avions traîné, nous l'avons vu pendant quelques minutes – et c'est vérité – devenir animal, hyène hargneuse, la gueule ouverte et le sang coulant exactement aux endroits où nous avions infligé les blessures. Je vous le dis de ma bouche pour tous que l'hyène était là devant nous, rompue par nos coups, désarticulée. Nous sommes restés béats et effrayés devant l'animal allongé dans Katio. Seul un homme-animal, déguisé la nuit en feu follet vaquant à des pratiques de mangeur d'âmes, peut se transformer ainsi au moment de sa mort. Les animaux n'ont pas à vivre parmi nous, à aller aux champs, à participer à notre arbre à palabres, à boire dans nos puits... sauf aux places et aux moments que nous leur assignons. D'une chose, nous sommes sûrs, nous

---

4   Mânes : *op. cit.* note 15, p. 11.

avons tué quelqu'un qui n'existait pas. Nous condamner, nous les Ganamé qui avons agi contre ce sorcier, serait une erreur. Cet homme était mauvais et vindicatif. Nous sommes aujourd'hui prisonniers par sa faute, et aussi par l'ignorance de votre justice blanche de ce que nous sommes en réalité, de ce que nous avons toujours été, depuis les temps immémoriaux. Monsieur le juge, un *tengbiiga* comme vous peut comprendre ce qui est arrivé.

– Je ne veux plus avoir à vous rappeler à l'ordre, Monsieur Ganamé. Les faits...

– Oui, Monsieur le juge. Katio le carnivore a repris sa forme humaine quelque temps après sa transformation, je l'admets. Nous ne pouvons vous montrer son éphémère corps d'animal comme le chasseur qui exhibe la queue de l'éléphant pour prouver qu'il l'a abattu. Si je pouvais revenir en arrière, vous amener avec nous dans le buisson pour qu'il vomisse ses mauvais sorts, vous le verriez en hyène grièvement blessée, comme je vous vois en robe noire. Je vous le jure. Avons-nous inutilement envoyé Katio Sagha aux côtés des mânes de ses ancêtres comme on nous en accuse? Non. Avions-nous le droit de nous rendre justice nous-mêmes? Oui, à cause de notre désespoir et de notre peur de subir à notre tour les sorcelleries de Katio. Monsieur le juge, mon aîné Karim, mon cadet Adama et moi-même avons essayé de trouver des conseils, de l'aide, car nous avons appris à respecter la nouvelle façon de vivre dans ce pays. Pourquoi chercher des problèmes avec les lois du gouvernement?

– Maître Fall, votre client éprouve ma patience.

– Mes excuses, Votre Honneur. Monsieur Ganamé, vous entendez?

– Oui, mais mes frères qui ont une bouche en la mienne n'ont pas d'oreilles ici. Les mots qui vous offensent, ce sont les leurs. Ils ne savent ni lire ni écrire. Je suis le seul de notre famille a avoir un certificat d'études primaires. Cela vous dit pourquoi nous sommes un devant vous, même si nous avons agi à trois.

– Monsieur Ganamé, peut-être le jury serait-il mieux instruit si vous racontiez les faits en commençant par le début.

– Bien sûr... Tout a commencé avec une vive querelle opposant notre père, feu Bilah Ganamé, à Katio Sagha. Au cours de cette altercation, le vieil acariâtre a menacé notre vénérable père des pires malheurs parce qu'il avait osé cogner sa tête à la sienne. Vous savez que dans les villages, les aînés se concertent pour décider ce qui est mieux pour tous. Eh bien... des représentants du gouvernement étaient venus interroger les familles sur un puits que des étrangers offraient de creuser gratuitement, avec une machine. Katio ne voulait pas de ce trou au milieu du village. Il disait que tout le monde, même les descendants d'esclaves et les fils de forgerons iraient y boire, et que cela souillerait le sang des gens de bien. Mon père pensait que l'eau soutirée à la terre serait utile pour la santé, surtout celle des enfants. Il l'a dit publiquement et Katio lui a crié qu'il ne respectait pas les interdits de caste et qu'il le paierait cher. Cette menace, nous nous sommes contentés de la mettre sur le dos de la colère, même si Katio avait une réputation de chef-sorcier avec un troisième œil. Il est vrai que personne ne l'avait pris sur le fait, malgré la surveillance, mais tout le monde dans notre communauté évitait d'avoir une prise de bec avec cet homme dissimulé, de peur de subir ses foudres et de le regretter amèrement. Quand notre père est tombé malade, peu de temps après, il n'a pu se retenir d'accuser publiquement Katio. Ses intestins se vidaient d'un liquide noirâtre, ce qui le desséchait un peu plus chaque jour. Il est mort de cette mystérieuse façon, son mal déroutant la médecine. Que les mânes de nos ancêtres reçoivent parmi eux cette âme de bien qui nous a quittés ! Tout le village a murmuré que dans le passé, c'était arrivé à d'autres qui avaient eu des altercations avec Katio Sagha. Qu'auriez-vous fait,

Monsieur le juge, si votre vénéré père venait de passer, par la faute d'autrui, du statut de vif au statut de feu untel?

– Monsieur Ganamé, ne me posez plus aucune question. Contentez-vous de raconter votre histoire.

– Mes excuses, Monsieur le juge. Je continue. Pendant notre deuil, nous, la famille de feu Bilah, avons vécu dans le doute, tout en gardant une dent contre le vieux Katio. L'atmosphère était à l'orage. Et l'orage ne peut indéfiniment menacer sans que l'averse ne tombe. Ainsi, deux mois après la première mort, une autre dispute a éclaté et le vieux Katio a invoqué la foudre contre notre famille parce que notre sœur Oumou l'avait traité, devant tous, d'empoisonneur. Oh malheur! Plus de doute, il était bien un mangeur d'âmes. Dès le lendemain, la pauvre Oumou a commencé à être mangée à crédit rapide, comme l'avait été notre père. Elle aussi se vidait de ses intestins chaque jour un peu plus. Il lui sortait un liquide noirâtre qui la menait à l'article de la mort. Cette fois, nous, les frères Ganamé, avons décidé de réagir. Nous avons fait convoquer le vieux Katio chez le chef du village. Mais contre toute attente, notre gardien de la tradition a évité de prendre ses responsabilités. Il nous a renvoyés chez l'aîné du village. Après nous avoir entendus, lui aussi a refusé de se prononcer. Il s'est contenté de nous référer au représentant de l'autorité administrative. Nous sommes donc allés cogner au bureau du sous-préfet[5], un casque colonial, un Noir-Blanc venu de la capitale. Nous lui avons demandé d'agir contre ce sorcier de Katio. Nous l'avons supplié et il nous a ri au nez, nous accusant d'être esclaves de nos superstitions et de notre ignorance! Alors, nous sommes allés voir le préfet. Cet homme compatissant a

---

5 Le sous-préfet est le représentant local de l'autorité gouvernementale. Son supérieur hiérarchique est le préfet, lequel a droit de regard sur les actes et les pouvoirs de tous les responsables des services publics dans sa circonscription administrative.

dit que rien de ce qu'il avait appris dans les livres des Blancs ne s'appliquait et qu'il était préférable pour nous de retourner au village pour régler le problème selon nos lois coutumières. Le conseil de village s'est réuni et, sur les recommandations des uns et des autres, le vieux Katio a accepté de retirer ses malédictions, en se pliant au rituel : il a fait des excuses devant de nombreux parents, voisins et amis, il a sacrifié un coq blanc et il a payé une amende de deux cents cauris[6]. Mais quand ensuite, nous avons exigé séance tenante un remède pour la petite Oumou agonisante, il a prétendu en bégayant n'être pour rien dans sa maladie. Notre cousin Omar n'a pu se retenir de protester violemment : il a traité ce sorcier de « chien galeux et bâtard avide de viande humaine » ! Alors Katio, le visage monstrueux, a maudit Omar. Quand on pensait que c'était fini, une malédiction s'ajoutait à une autre. On n'en sortait pas... Tout cela est vérité, vous le savez, vous, Maître Fall ! Dites-le au jury !

– Les membres du jury ont déjà entendu ma plaidoirie. Il ne reste plus qu'à terminer votre récit, Monsieur Ganamé, sans négliger aucun détail.

– Je poursuis, Maître Fall. Après qu'Omar eut été maudit, moi et mes frères, nous sommes allés chez le *wak man*[7] Malick et nous lui avons demandé d'intercéder auprès de nos ancêtres et des mauvais génies afin qu'ils nous aident à capturer et à détruire le double maléfique de Katio. Le *wak man* a sorti son jeu d'ergots de coq et ils se sont envolés avec l'allure de poignards, pour se ficher dans le sable. On aurait dit une panse transpercée. Alors le *wak man* a remué la tête et nous a dit de revenir avec un coq noir, une poule blanche qui n'avait pas encore eu de poussin et un mouton noir. Ce que nous avons fait. Pour cette seconde séance, Malick avait fait venir

---

6   Cauris : *op. cit.* note 12, p. 32.
7   *Wak man* : géomancien traditionnel et désenvoûteur, parfois marabout.

un *nikiem bila*[8] comme témoin, et plusieurs assistants qui
sont entrés en transe pour emprunter le comportement, le
vêtement, la parole et la voix d'invisibles non-humains. Après
douze heures d'échanges avec l'au-delà, cet homme saint a
reconnu son impuissance à nous aider. Imaginez notre désar-
roi, Monsieur le juge, mettez-vous à notre place. Nous avions
une patience qui ne pouvait plus attendre...
– Ma patience aussi a des limites ! Une autre interruption
et je reporte l'audience à demain.
– Je termine... Trois jours plus tard, alors que notre sœur
Oumou, aussi légère que la natte-linceul qui la recouvrait,
était portée en terre, notre cousin Omar a été terrassé à son
tour par ce même mal qui siphonne les entrailles d'un liquide
noirâtre. Emporté lui aussi, en moins d'une semaine ! C'en était
trop ! Allions-nous nous laisser décimer jusqu'au dernier ? Non !
Nous avons obligé le vieux malfaisant à nous suivre à l'orée du
village. C'est là que, derrière un épais buisson, il s'est anima-
lisé devant nos yeux médusés. Comme je vous le disais, il est
devenu une hyène. Nous avons aussitôt cessé de le battre, et
après quelques minutes, il a repris sa forme humaine. Il était
mort. C'est un animal que nous avons tué ! Pas un humain !
C'est ce que nous avons expliqué aux villageois rassemblés
sous l'arbre à palabres. Ils ont convoqué la *taboussa panga*[9].
Après la querelle des arguments entre nous, les Ganamé et la
famille de Katio Sagha, il y a eu de longues délibérations. La
taboussa panga a admis que nous nous sommes rendu justice
contre un homme-animal qui avait nui à notre famille. Toutefois, le conseil des sages a exigé une réparation coutumière
pour dédommager la famille de Katio : un taureau de six ans,

---

8 *Nikiem bila* : enfant-ancêtre doué de pouvoirs de prédiction par le tru-
   chement de ses visions.
9 *Taboussa panga* : en cas d'homicide dans le clan, force de la vérité repré-
   sentée par l'assemblée des aînés.

deux moutons noirs, quinze pintades. Notre colère ne pouvait plus se retenir! Qui avait eu trois morts dans sa famille? Les Ganamé! Qui avait tenté deux conciliations coutumières? Nous, les Ganamé! Qui était allé voir le sous-préfet et le préfet pour une intervention des autorités officielles? Toujours nous, les Ganamé! Pourquoi les victimes de l'homme-animal devraient-elles payer, ne fût-ce qu'une plume de coq? C'était une question de principe et de respect dû à nos morts. De toute façon, nous n'avons pas tué un homme qui marche debout, mais un animal sinistre à quatre pattes! Je vous ai tout dit, Monsieur le juge.

– Avec votre permission, Votre Honneur, je m'adresserai à mon client.

– Faites, Maître Fall, soyez bref.

– Monsieur Ganamé, expliquez à la Cour dans quelles circonstances vous et vos frères avez été arrêtés.

– Après trois jours de disputes, devant notre refus de céder, le chef du village a alerté les corps habillés[10]. Ils sont venus et nous nous sommes livrés à votre justice, de bonne foi. Il y a deux ans que nous, les frères Ganamé, avons enterré nos morts, et nous vous demandons aujourd'hui de déterrer votre raison africaine. Je vous supplie de fermer le livre des Blancs, votre Code pénal rouge, pour ouvrir les yeux sur nous et sur vous. Même un peu Blanc, vous êtes Noir, je vous le dis avec respect. Nous sommes fils et destin de notre monde et de nos aïeux. Nous avons tué une hyène malfaisante, pas un humain! Et si vous croyez que cela est mensonge, ordonnez une ordalie[11] dans la grotte sacrée de Rim où se trouve un autel des

---

10 Corps habillés : hommes en uniforme représentant l'autorité : militaires, gendarmes, policiers, gardes forestiers, agents municipaux...

11 L'ordalie est une technique judiciaire qui consiste à appuyer le serment de l'accusateur ou de l'accusé par une épreuve dangereuse, parfois mortelle. Du second millénaire av. J.-C. à nos jours, l'idée qu'une intervention non humaine fait triompher le bon droit a fait des adeptes.

masques qui incarne notre pouvoir judiciaire suprême. Nous voulons être rejugés par nos lois, sans que celles-ci nous exigent de payer un quelconque tribut à la famille de Katio. Les protagonistes d'un conflit non résolu à la satisfaction de tous, dit la tradition, peuvent s'adresser au *Vug Naab*[12] pour régler leur différend devant le *Teng Naab*[13]. Avant de nous envoyer dans votre prison pour de longues années, afin de rendre une justice qui nous respecte et nous disculpe de ce que vous nous reprochez, soumettez-nous au serment-ordalie de la grotte de Rim. Vous en aurez ensuite le cœur net.

– La Cour vous remercie, Monsieur Rasmane Ganamé, pour cette longue défense. Vous auriez pu faire carrière comme avocat coutumier. Le jury va se retirer pour délibérer en son âme et conscience. L'audience est levée et le verdict sera rendu mercredi à 10 heures, en cette même Cour.

✗ ✗ ✗

Le Fraternel

12/3/2004

Raison ou déraison ?

Jamais procès aux Assises n'aura autant passionné et divisé le pays depuis l'affaire des disparues du chemin de fer*. Pendant que la controverse opposait les « modernistes » aux « traditionalistes », les « indécis » en étaient presque aux mains et les médias faisaient surenchère de désobligeances verbales. Comme nous en avons déjà rendu compte dans nos colonnes, l'*Association des bons sorciers*, créée dans la foulée de cette affaire, s'est fait particulièrement remarquer en allant manifester à plusieurs reprises devant le prétoire contre « ceux qui ne comprennent rien au pays » ! Hier, à l'issue d'un stupéfiant retournement judiciaire qui fera sans doute jurisprudence,

---

12 *Vug Naab* : chef du rituel d'ordalie dans la grotte sacrée de Rim.
13 *Teng Naab* : chef de la terre et des rituels qui y sont rattachés.

au grand dam des modernistes, les frères Ganamé ont été acquittés par un jury divisé, une seule voix ayant fait la différence. Ceux-ci, rappelons-le, de leur arrestation à leur procès, avaient reconnu le meurtre sur la personne d'un « homme-animal » et invoqué la légitime défense. Les Assises avaient été saisies après que les trois hommes aient refusé de se soumettre au droit coutumier. L'avocat du défunt Katio Sagha a immédiatement porté la cause en appel, ce qui promet de nouveaux rebondissements.

* Lire aussi les faits judiciaires sur ce sujet qui nous a passionnés au cours des derniers mois :

Deux sorciers prennent 18 mois de prison après leurs aveux, *Le Fraternel*, 12/6/2003 ;

Le chef de l'opposition accusé de deux tentatives de meurtre par sorcellerie contre deux adversaires, *Unité et Vérité*, 23/9/2003 ;

« Famous », le vrai mort ressuscité défraie la chronique dans l'Église du christianisme céleste, *La Patrie*, 6/10/2003 ;

Un père de famille accusé de sorcellerie abat deux personnes et se tue, *Jour Info*, 8/10/2003 ;

Sorcellerie : Boni, le célèbre comédien hospitalisé, ne souffre pas que de diabète et d'hypertension... *La Seule Voie*, 2/11/2003 ;

À la suite du meurtre d'une institutrice, le préfet dénonce dans les villages le mode d'accusation des personnes accusées de sorcellerie, *Le Progrès*, 14/12/2003.

5

Baobab Radio

Pendant que des milliers d'oreilles attendent dans les enclos pastoraux, les concessions[1], les autocars, bref partout où l'on capte cette émission de radio, Alain Georges Soglo recommence ses signes désespérés à Vogan Glélé qui a enlevé ses écouteurs. Le visage défait, l'animateur ignore son technicien. Les minutes s'écoulent à la vitesse d'un escargot sur un bananier. Enfin, Soglo se décide à passer le message préenregistré qui lui semble le plus approprié : « Mesdames et messieurs, s'excuse une voix féminine, à cause de difficultés techniques indépendantes de notre volonté, nous regrettons d'interrompre notre émission. *Baobab Radio* vous offre un intermède musical en espérant qu'il vous plaira. »

Soglo demeure atterré par ce qui vient d'arriver. Il n'aurait jamais cru possible qu'une chose pareille survienne, en direct, dans tout le pays ! Le standard déborde d'appels, on se bouscule pour se mêler à cette tragédie. Impuissant à ramener l'animateur à la raison, le technicien s'assied et se remémore les événements.

✘ ✘ ✘

---

1 Concessions : unités d'habitation qui abritent une ou plusieurs familles.

– Comme tous les vendredis, vous écoutez votre *agoué*[2]
préféré, celui qui parle de tous vos problèmes sous son débonnaire, pansu, hirsute et goguenard baobab, et j'ai nommé moi-
même, votre animateur Vogan Glélé. Bienvenue sur les ondes
somnambules de votre émission favorite... Demeurez à l'écoute
jusqu'à 22 heures 30, chers auditeurs, chères auditrices, de
la province du Wesso à celle du Komo, de Porto Kué à Pama.
Baobab Radio est diffusé en direct par la Radio Entrer Parler,
la deuxième chaîne de la Radio Nationale, 85,8 FM pour la
capitale et, sur ondes courtes, le 65,2. En arrivant au studio,
j'ai vu des masses de nuages qui se précipitent vers le Nord
et j'ai pensé à nos amis paysans qui attendent les généreuses
pluies. À la technique ce soir, tout aussi fidèle que vous, Alain
Georges Soglo. Avant de recevoir vos nombreux appels au
36.24.24, je vous invite à écouter un chanteur bissau-guinéen
inconnu ici. Retenez bien ce nom : Lilison Di Kinara. Hélas !
son CD n'est pas distribué chez nous. Encore un talent musical de perdu pour l'Afrique ? Oui et non, puisque je vous le fais
découvrir ! Je l'ai reçu par la poste d'un ami de Montréal. Cela
vous dit quelque chose, le Canada, le Québec ? Bien sûr que
oui, ce n'est pas la première fois que je vous en parle. Eh
bien ! cette musique originale, composée par un des nôtres,
exilé en Amérique française, a de quoi réveiller les puristes
de la musique africaine, c'est moi qui vous le dis et vous en
conviendrez bientôt. L'album s'intitule *Bambatulu*, un mot
qui résume les vertus curatives et apaisantes du beurre de
karité. Oui ! il s'agit bien de notre ancestral remède vendu sur
tous nos marchés. Je vous lis ce qui est écrit dans le livret :
Bambatulu, remède – Bambatulu, beurre de karité –
Bambatulu qui soulage la douleur – Bambatulu qui guérit
les maux – Bambatulu pour les plaies ouvertes de l'Afrique –

---

2   *Agoué* : arbre à palabres.

Bambatulu pour guérir le chagrin des exilés. Sans plus tarder, le tube de ce CD génial de Lilison Di Kinara : *Luciana.*

✖ ✖ ✖

– Cette sonorité suave, ces percussions discrètes... Formidable, n'est-ce pas ? Ce soir, ce beurre de karité va m'aider à apaiser une des plaies qui interpelle la conscience : le harcèlement sexuel. Comme d'habitude, je prendrai vos appels après vous avoir dit quelques mots sur le sujet, puis je vous ferai écouter ce que mon équipe a glané au marché, dans la rue, dans les bureaux, les bièrodromes, les gargotes des tanties[3] et autres lieux publics. Ah ! je n'ai aucun mal à lire dans les pensées de certains d'entre vous, ceux qui croient que le harcèlement sexuel n'existe pas chez nous, que c'est un problème occidental, que nos filles sont vertueuses et nos hommes, des saints, que nos coutumes veillent au respect des bonnes mœurs affectives et sexuelles... Allons donc ! À ceux-là je dis : cessez de nier la vérité et ouvrez les yeux sur ce qui se passe dans les bureaux du secteur privé, dans les ministères, les hôpitaux, sur les campus universitaires, chez les nantis qui ont des domestiques, bref dans tous les lieux de mixité. Là... je sens que vous avez compris ! Bien qu'aucune étude ni aucune statistique ne soient encore venues le confirmer, je suis convaincu qu'il y a des hommes de chez nous qui harcèlent sexuellement des femmes. Comment ? Comme partout ailleurs, par la répétition de paroles ou de comportements stéréotypés qui n'ont qu'un but : obtenir une relation sexuelle. Où est la frontière entre faire sa cour et harceler une femme, me direz-vous ? Eh bien, lorsqu'un homme persiste après qu'une femme lui a demandé fermement et à plusieurs reprises de la laisser

---

3 Gargotes : restaurants traditionnels bon marché ; tanties : terme affectueux pour désigner les tenancières de ces restaurants.

tranquille, il y a harcèlement sexuel. Cette attitude est extrêmement dévalorisante pour la victime. Je ne dis plus « femme », car attention ! même si nous parlons d'un phénomène surtout masculin, l'inverse existe : un homme peut être victime d'une secrétaire aguichante, d'une collègue qui se sent seule, d'une amie de sa conjointe, d'une étudiante entreprenante, d'une maîtresse éconduite... Vu par cette lorgnette, le harcèlement sexuel devient original, voire charmant, n'est-ce pas ? Honte à tous ceux qui m'ont cru ! Le sexe n'excuse en rien le crime. Et quand il y a crime, il doit y avoir punition. Hélas ! rien n'est prévu dans notre pays. Premier choix pour la victime : se résigner à céder aux avances cavalières. Deuxième choix : les refuser et en assumer les conséquences. Résistance ou promotion canapé ? Tel semble être le douloureux choix de plusieurs qui cherchent un travail, veulent en conserver un, souhaitent obtenir une promotion ou encore un diplôme. Qui n'a pas une sœur, une tante, une nièce, une cousine, une amie ou une voisine au chômage, qui a dû faire face aux avances menaçantes d'un responsable d'un concours de recrutement à la fonction publique ou dans le privé ? Pour ma part, je connais une femme compétente dont la promotion a été bloquée après qu'elle eut décliné l'invitation d'un supérieur à l'accompagner à une fête, un samedi soir. Et une jeune campagnarde d'à peine quatorze ans qui ne doit sa place de domestique qu'à sa complaisance envers le mari de sa maîtresse. Pauvre sexe féminin si souvent poussé à céder sa vertu ! Sexe dévalorisé, sacrifié... C'est avec raison que notre continent est blâmé pour le sort qu'il lui réserve. De Mogadiscio à Dakar, il n'y a guère autre chose pour les femmes que mariages arrangés, polygamie, maternités à répétition, corvées domestiques, excision, analphabétisme, pauvreté... Femme, va au puits chercher de l'eau ! Fais à manger ! Porte le voile ! Occupe-toi des enfants ! Fais plaisir à ton mari ! Accepte ta coépouse !

Ce n'est pas pour s'amuser que le gouvernement a créé un ministère de la Condition féminine, et ce n'est pas sans raison que l'ONU a décrété le 8 mars Journée internationale de la femme. Nous avons un code de la famille et des droits personnels qui protègent le sexe féminin... Nous avons signé toutes les conventions internationales sur les droits des femmes, fait des quantités de déclarations de bonne foi sur l'égalité entre les sexes. C'est un progrès – je ne le nie pas –, mais les fillettes, les épouses et les mères maintenues dans l'obscurantisme et soumises aux abus sont encore très nombreuses. Et puisque nos espoirs d'une amélioration rapide de leur condition se sont amenuisés avec l'amaigrissement imposé par la Banque mondiale, il nous faut maintenant compter davantage sur nous-mêmes pour vaincre la scandaleuse corruption des esprits et de la chair. À qui la faute ? Est-ce le poids de nos coutumes ? de nos religions ? Est-ce le résultat des errements d'une modernité mal assumée ? Est-ce davantage la faute des hommes que celle des femmes complices de la domination masculine ? Ce soir, certains d'entre vous m'aideront à y voir plus clair. J'ai hâte de connaître votre opinion sur ce sujet. À *Baobab Radio* – je ne me lasse pas de le répéter sous mon arbre à palabres –, j'écoute respectueusement et j'exige que tous les auditeurs et les auditrices en fassent autant. Il est 21 heures 09. Vous entendez Vogan Glélé, sur les antennes de la Radio Entrer Parler. Avant de prendre le premier appel parmi tous ceux qui se bousculent, impatients et passionnés, à notre standard, une autre pause musicale : Wasis Diop, un musicien sénégalais établi à Londres. De quoi s'agit-il ? World Music ? Country Music ? Rock ? Je dirais tout à la fois ! Voici donc la turbulente rapsodie de l'inclassable style de Wasis Diop : *Soweto Daal* !

✗ ✗ ✗

Pendant que Wasis Diop dénonçait les conditions de vie du *township* de Johannesburg, le technicien Soglo n'avait pu s'empêcher de se livrer à un exercice qui était devenu quasiment une obsession : décrier intérieurement l'animateur avec lequel il travaillait depuis sept ans déjà. Il ne l'estimait guère, mais il ne pouvait certes pas le laisser voir. À dire vrai, à ce sentiment négatif se mêlaient de l'envie et de l'admiration devant le talent oratoire et psychologique qui faisait du journaliste-animateur une vedette démagogue et populiste.

En effet, Soglo était obligé d'admettre que Vogan Glélé se montrait loquace, sagace, parfois plein d'humour face aux situations socio-économiques qui accablent la vie : les enfants illégitimes, les relations sexuelles avant le mariage, la corruption, le conflit de générations, les défaites au football, la polygamie, la répudiation, les affectations de fonctionnaires dans le Nord du pays, plus pauvre... Son émission était à cent lieues du chaos des bulletins d'information sur les fous d'Allah, les rebelles de la région des Grands Lacs ou l'action du gouvernement en vue de l'improbable développement du pays. Avec une fierté quasi érectile, Vogan allait jusqu'à se moquer des laborieux exercices oraux des ministres cravatés, lors des interminables inaugurations de puits forés, d'écoles ou de routes construites dans des villages perdus. Soglo aurait voulu, juste une fois, qu'il aborde un sujet de manière à fâcher un puissant qui n'aurait pas perdu ses réflexes autoritaires. Il en rabattrait alors, l'animateur-vedette !

Mais cela n'arrivait pas. Quand il échangeait avec son public, Vogan Glélé trouvait toujours le bon mot, l'heureuse contradiction, la parole adroite, le ton pesé et chaleureux, prudent ou confiant. Il jonglait avec ses répliques tout en provoquant les confidences amoureuses, les interviews imprévues et les dialogues socratiques. Avec tact ou fermeté, il parvenait à interrompre le verbomoteur, le prosélyte, l'imprécateur, l'intolérant, le mythomane, bref à imposer la discipline et le respect des opinions différentes. Les échanges étaient pacifiques, sans bavardage ou vulgarité. La causerie remplaçait admirablement la psychologie freudienne, unanimement rejetée pour incompatibilité culturelle. *Baobab Radio* était tout, sauf la platitude et l'ennui. Et pourtant, Soglo était mal à l'aise.

Cela venait peut-être du fait que dès son premier jour en studio, Vogan Glélé s'était comporté en vedette. « Au commencement était le verbe », disait-il avant chaque émission. Une phrase fétiche qui lui permettait de tester le timbre de sa voix, laquelle, par la magie des ondes, se transformait en faisceaux hertziens relayés par des dizaines de pylônes, pour balayer les villes et atteindre les hameaux les plus reculés. « Ma voix voyage dans les cieux », répétait-il depuis qu'un paysan lui avait inspiré cette image au cours d'une émission sur le milieu rural. Un peu plus, craignait Soglo, il se serait déclaré « patrimoine sonore national ». Et cela n'aurait surpris personne, car Glélé, c'était une inimitable voix qu'on écoutait comme de la musique, religieusement. Aucune photo de lui ne circulait, et pour cause. Il était né avec une tête énorme sur un corps difforme. Ses géniteurs l'avaient prénommé Vogan, du nom d'un arbrisseau tors et chétif qui affronte vaillamment les impitoyables feux de brousse. Les anciens disent que le *vogan*, aux branches serpentées et torturées, a sacrifié sa beauté au profit de sa survie. Le jeune Vogan Glélé, lui, avait constaté que, faute d'un port franc, la robustesse de son double botanique était peu appréciée des hommes. Et il en était de même pour lui, rien ne lui avait été épargné à l'école primaire et secondaire : il avait reçu son lot de railleries, de quolibets et de coups. Triste extraction des couches nécessiteuses et laborieuses, mais élève consciencieux et ambitieux, il était parvenu aux portes de l'université quand le hasard avait mis sur sa route un coopérant belge qui le compara à l'*emu*[4], le son du meilleur tambour tendu d'une peau de chèvre. La richesse de ses cordes vocales, lui expliqua-t-il sans détour, le destinait à tous les arts de la parole : politique, théâtre, télévision, radio... Homme laid et contrefait, Glélé avait naturellement opté pour la radio. S'il avait déjà cru, dans son jeune âge, que des sorciers dérobaient des voix humaines pour les enfermer dans la boîte magique, laissant les victimes aphones, il connaissait maintenant tout le pouvoir dont il pouvait jouir derrière un micro. Ne disait-on pas, pour juger de la crédibilité de l'annonce d'un coup d'État manqué, d'une atteinte à la sûreté de l'État, d'un détournement de fonds publics ou d'une activité syndicale antipatriotique, que « la radio l'avait dit » ? L'instance était illustre et comblait de ce fait tous ses vœux. Auréolé d'un semblant de liberté d'expression, enveloppé d'une mystérieuse sagesse ancestrale, en quelque sorte, il animait un forum démocratique informel et se qualifiait lui-même, et avec fierté, de modérateur national, de progressiste semeur de modernité sur un vaste territoire parsemé d'agglomérations citadines et de nombreux villages fortement attachés aux us et coutumes.

Dans ce pays pétri de culture de l'oralité, la télévision – que Vogan Glélé méprisait – n'était pas encore une rivale sérieuse. Aussi, le registre de la confidence et la musique envoûtante de *Baobab Radio* avaient vite fait de cette émission la plus écoutée, loin devant le *Journal parlé quotidien* et l'émission dominicale du *Disque demandé*. Son seul rival sérieux restait le *Sportif*, et encore il ne l'était vraiment que quand il s'agissait de matchs de football, véritable religion nationale. Ce succès s'expliquait en partie par le choix du créneau horaire du vendredi soir. L'animateur avait comme alliée la nuit, ce moment magique où l'imaginaire fonctionne à sa

---

4   *Emu* : qualité intrinsèque d'une sonorité exceptionnelle.

plus grande puissance. L'atmosphère nocturne renforçait son anonymat, pensait-il, ce qui amplifiait l'impression de perfection qui se dégageait de ses chuchotements sensuels. Il qualifiait volontiers son émission de halte incisive et spirituelle entre les rumeurs inquiétantes des jours ouvrés et le bonheur de la fin de semaine fait, pour les uns de défoulement dans les bars, et pour les autres de paresse intellectuelle au bord de la mer au son des derniers airs congolo-congolais ou sud-africains.

Certes, pareil succès était plus qu'une revanche contre le destin qui l'avait accablé d'un physique éprouvant, mais il était un homme et, malgré le prestige professionnel dont il bénéficiait, il n'osait pas se laisser aller à un sentiment profond envers une femme, craignant la blessure d'un rejet.

x x x

– C'était Wasis Diop. Formidable, n'est-ce pas ? Voici enfin, chers auditeurs et fidèles auditrices, le moment de recevoir vos appels. Comme à l'accoutumée, j'essayerai de vous aider au mieux à exprimer votre opinion, sans être long pour laisser la chance à un maximum de personnes de prendre la parole. Je vous rappelle que ce soir, le sujet est le harcèlement sexuel. Vous connaissez le fonctionnement du forum de *Baobab Radio*. À partir de maintenant, cette émission vous appartient, c'est votre libre antenne ! Mon technicien, Alain Georges Soglo, me fait signe que le standard est déjà encombré, alors, un premier appel.

– Bonsoir, Monsieur Vogan.

– Bonsoir ! Comment vous appelez-vous ?

– Omer !

– D'où téléphonez-vous ?

– De la Podjari, dans le Nord.

– Ce n'est pas toutes les semaines que nous prenons un appel de si loin. Comment ça va, là-bas ?

– Très bien. Il pleut. C'est bon pour les futures récoltes.

– Et au sujet de notre question de ce soir, qu'avez-vous à nous dire ?

– Eh bien, ici, dans la Podjari, je vois les coopérants occidentaux poursuivis par une nuée de filles, souvent mineures, qui monnayent leurs charmes. Et la police n'intervient jamais.

– Cela se passe partout où il y a des coopérants étrangers, Monsieur Omer. Et la police ne fait rien parce qu'il n'y a pas de cadre juridique qui lui permettrait d'intervenir. Selon vous, que faudrait-il faire ?

– Faire une campagne d'information dans les collèges et les lycées pour mettre en garde nos jeunes filles. La majorité sont assez naïves pour croire qu'un de ces étrangers va les épouser et leur offrir une vie meilleure loin de leur famille.

– Si des politiciens nous écoutent ce soir, vous aurez certainement réveillé leur conscience, Monsieur Omer. Notre voisin, le Togo, a voté une loi visant à prévenir les grossesses en milieu scolaire. Nos députés pourraient s'en inspirer... Eh bien ! merci et toute notre sympathie aux fidèles auditeurs de la Podjari qui, comme vous, nous écoutent. Il est 21 heures 18 sur la seconde chaîne de la Radio Nationale, ici Vogan Glélé à *Baobab Radio*. Avant de prendre le deuxième appel, je vous propose d'écouter celle qui se passe désormais de présentation, Cesaria Evora dans *Saudade*. Laissez-vous envahir par la *morna*, cette douce nostalgie unique aux Cap-Verdiens. Regret de l'amour perdu ou espérance du retour d'exil...

✘ ✘ ✘

– Vous revoici à *Baobab Radio* en compagnie de Vogan Glélé. Pour ceux qui viennent de se joindre à nous, le sujet de ce soir est le sexisme, plus particulièrement le harcèlement sexuel. Notamment celui des hommes qui utilisent leur position pour profiter des femmes. Je lance un appel aux auditrices qui en ont été victimes. J'ai besoin de votre témoignage, tous nos auditeurs l'attendent. Mon technicien m'indique que nous avons une femme en ligne. À qui parlons-nous?

– Je préfère ne pas donner mon nom.

– Je respecterai donc votre anonymat. Je vous appellerai Madame, belle inconnue de la nuit. Des milliers d'auditrices et d'auditeurs vous écoutent.

– J'ai terminé mes études de comptabilité il y a trois ans, à l'Institut universitaire technologique. Depuis, je cherche un emploi, sans succès. Je n'ai pas de piston familial et moins de chance, semble-t-il, que certaines de mes amies... J'ai tout essayé : les concours de la fonction publique et du secteur privé, les démarches personnelles avec mon c.v. Rien!

– Madame, le chômage des jeunes est en grande partie le résultat des pressions financières du Fonds monétaire international! Mais vous voulez nous confier autre chose, n'est-ce pas?

– Oui... quand il y avait un espoir d'obtenir enfin un travail, je le voyais dans le regard des hommes. Et il s'évanouissait, aussitôt qu'ils comprenaient qu'ils avaient affaire à une femme qui se respecte. J'ai résisté longtemps. Mon beau-frère, chez qui je vivais, me poussait à la porte. J'étais sans le sou. Découragée, je suis allée voir un directeur et j'ai écarté les jambes. Je n'ai même pas obtenu l'emploi promis et des mois après, j'ai appris que j'avais à la fois une hépatite B et le VIH.

– Je me sens compatissant. Comme tous les auditeurs et les auditrices à l'écoute, je suis infiniment désolé... Je vous remercie de ce courageux témoignage qui illustre si bien le propos de ce soir...

– Je n'ai pas fini. À vingt-cinq ans, j'ai été privée de mon espérance de vie.

– Elle est de quarante-six ans, dans notre pays.

– Je sais... Ma vie sera courte, mais je suis puissante. Ce qui me reste de temps ne sera pas employé en futilité.

– Que voulez-vous dire ?

– Le sida est une arme pour détruire les sexistes. Si un homme veut me recruter en passant par le lit, tant pis pour lui. Je lui refile cette saleté qui est dans mon sang.

– Vous êtes en colère, Madame, nous pouvons le comprendre, mais nul n'a le droit d'agir comme vous le faites...

– Je suis devenue une semeuse de mort, une justicière sidéenne qui ne tue que ceux qui le méritent, au nom de toutes les femmes abusées.

– Aucune demandeuse d'emploi ne vous a engagée sur cette voie vengeresse, n'est-ce pas ?

– Non, j'agis seule, mais je vous le répète, au nom de toutes les femmes victimes d'hommes de pouvoir dépourvus de scrupules.

– Votre vengeance est horrible, injuste... Dans votre cas, l'acte sexuel a lieu entre partenaires adultes et mutuellement consentants...

– Vous croyez vraiment que s'offrir une fille en échange d'un poste est une innocente transaction ? Vous croyez qu'on m'a rendu justice quand je frappais honnêtement aux portes des employeurs ? Vous croyez que parce que je suis une femme, ce que je fais est plus terrible que ce que font des milliers d'hommes dans l'impunité ?

– Il est vrai que, dans notre pays, on ne juge pas les hommes qui abusent de votre sexe...

– Le seul lieu où déposer ma plainte est le bas-ventre des mâles véreux.

– Et les préservatifs ? Nous sommes devenus prudents avec toutes nos campagnes de sensibilisation...

– Vous croyez ? Vous me faites rire !

– Madame, quelle cruauté !

– Je me bats avec mes moyens, ma vérité, pour la justice. Vous n'êtes pas censé me juger et pourtant vous le faites, Monsieur Glélé...

– Pourquoi nous confier tout cela ce soir ?

– Pour que chaque recruteur d'employée, à compter de demain matin, sente la menace qui plane sur sa queue et son sang. Pour que chacun d'eux acquière un meilleur jugement vis-à-vis des femmes qui se présentent pour un emploi honnête.

– Votre réquisitoire est efficace. Mais vous nous faites marcher, n'est-ce pas ?

– Pas du tout. Et je refuse le rôle de victime. Je ne veux pas de la sympathie de tout un chacun. Les hommes que je contamine ont ce qu'ils méritent. Ce sont eux les criminels. Je suis en paix avec moi-même.

– Encore une fois, vous êtes légitimement en colère. Votre vie a été raccourcie, c'est une circonstance atténuante, mais plusieurs de ces hommes que vous entraînez dans la mort sont mariés et pères de famille. Avez-vous pensé à leurs épouses, à leurs enfants, à ces vies que vous brisez ? La conséquence n'est-elle pas plus haïssable que la cause ?

– Ces hommes sont d'abjects vicieux déguisés en honnêtes citoyens qui fréquentent l'église ou la mosquée. C'est tout ce qui entre en compte pour moi. Nous avons tous nos sacrifices.

– Votre froideur me laisse incrédule...

– Je vous fais cadeau d'une tragédie en direct, Monsieur Glélé. J'augmente encore vos cotes d'écoute.

– Mon technicien me fait signe que nous recevons un nombre record d'appels. Je dois donc vous quitter, mais non sans vous dire qu'un jour ou l'autre, quelqu'un vous dénoncera...

– Ce sera peut-être vous, le dénonciateur ! Souvenez-vous, au mois d'avril dernier, de belles tresses, une jupe moulante, un décolleté profond, un rouge à lèvres au parfum de pomme. Mon c.v. vous intéressait. Aviez-vous vraiment besoin d'une standardiste ?

– Vous plaisantez !

– Le plaisantin, c'est vous, Monsieur Glélé...

6

LA MAUVAISE TRÉPASSÉE

Madame la directrice de la Commission,

Je commence la lettre pour vous. C'est le moyen de raconter mon histoire sans pleurer devant vous. Je vais faire de mon mieux, dans votre langue qui est aussi la langue des alphabétisés dans mon ancien pays. Ma langue d'origine économise davantage les mots, les fait chanter autrement. Peut-être penserez-vous que je parle comme des cacahuètes non triées dans un panier. Veuillez m'en excuser.

Moi, Angelina Sanwi, je suis morte, c'est la vérité. Que la foudre me raye pour de bon si je mens. Mais je suis une mauvaise trépassée. Les sorcières et les morts n'ont pas de vapeur dans leur souffle, n'est-ce pas? Eh bien! apportez-moi un miroir, je vous déposerai ma buée de vivante dessus. Recevez-moi dans votre bureau et je vous montrerai que je peux bouger, crier, souffrir. Vous verrez que je suis une décédée qui s'entête à réapparaître. Je vais vous dire pourquoi.

Commençons par d'où je viens. De la côte africaine. Une bande de terre. Un village de l'Ouest. Je n'avais que des riens : une vilaine baraque de planches recouverte de tôle ondulée, un petit commerce de poissons fumés. Je vivais avec peu.

Avant d'arriver ici, des hommes, j'en ai eus, en commençant par deux maris coutumiers. D'un arrangement familial, si vous préférez.

Avec le premier, cinq ans de stérilité dans le lit conjugal sous son œil qui m'accusait. Il a dit que j'étais aussi aride que la glaise assoiffée de pluie! Je suis allée voir un guérisseur. J'ai commercé avec lui. Pour que mon ventre fasse pousser la semence de mon homme, il m'a donné des cataplasmes, des onguents, des décoctions, des poudres, des fumées qui purifient, des bains rituels, des baumes, des lavements, des amulettes... Tout a été contraire à ma guérison. J'ai été répudiée!

Le suivant m'a jugée digne d'une dot de six chèvres et de trois bouteilles de gin. Marché conclu, je suis devenue son épouse. Par précaution, j'ai participé à une cérémonie de fécondité. J'ai parlé jusqu'à me fatiguer à tous les *avuluka*[1], demandant d'être débarrassée de ma sécheresse. Je me suis allongée auprès d'un cabri pour faire passer dans son corps le mauvais esprit qui m'habitait. L'animal a été sacrifié, sans délivrance. En dépit de la pharmacopée et des offrandes nombreuses, l'*avuluka* est resté méchamment accroché à mon tronc telle la sève fidèle au *kaporo*[2]. Ce qui a fait que ce dernier mari aussi a fini par partir, à cause de mon ventre rocailleux qui se refusait au moindre ballonnement.

Les enfants, Madame la directrice, sont faits pour naître. Ils attendent que nous leur louions le passage, le temps d'une traversée, pour venir parmi les humains. Ils sont comme le soleil et la pluie. Le soleil réchauffe nos cœurs, l'hivernage aide nos récoltes. Une progéniture doit venir égayer nos vies, nous donner de menus soucis, puis s'occuper de nous quand on devient vieux. Mais moi, j'étais maudite. Ma famille me prenait en pitié parce que je n'engendrais pas. Heureusement que mon père, qui était pour la tradition, n'était plus là pour se désespérer.

---

1 *Avuluka* : mauvais esprits.
2 *Kaporo* : variété de ficus.

Pendant des années encore, j'ai accueilli dans ma couche tous les taureaux disponibles, jeunes et vieux, paresseux et profiteurs pour la plupart. Beaucoup ont vite fait la chose avant de disparaître. Jamais je n'ai pu être fertilisée. J'ai fini par comprendre que je n'avais plus d'avenir au pays. Une femme, là-bas, s'évalue au même titre que les chèvres et les vaches. Vaches, nous le sommes pour notre robe, pour le lait et la besogne, pour les veaux que nous donnons ou pour l'abattoir si nous cessons de produire de notre chair. Toutes ces raisons ont fait que je suis partie. Je ne vais pas vous conter en détails ce qu'il m'a fallu surmonter avant de venir à Montréal. Vous ne serez pas surprise si je vous dis que je suis arrivée dans un état lamentable, sans bagage, sans argent. À l'aéroport, j'ai déclaré que j'étais réfugiée. C'est ce qu'on m'avait recommandé. J'ai expliqué avoir fui mon pays après un mariage forcé avec un homme violent qui possède déjà deux épouses vivantes. C'est une bonne raison, la polygamie n'est pas bien vue ici, vous le savez. Bon, j'ai menti, mais qu'est-ce que vous auriez fait à ma place?

Vous devez connaître Ève-Marie. Elle travaille au YMCA[3]. C'est elle qui m'a aidée pour la suite de mes démarches auprès du service de l'immigration. J'ai répété à Monsieur le juge de la Commission de l'immigration et du statut de réfugié tout ce que j'avais dit à l'aéroport. Il m'a permis de demeurer dans mon nouveau pays plein de blanc, l'hiver. J'ai maintenant un passeport, avec le mot Canada en lettres dorées écrit dessus. Sept ans, que je suis ici.

J'ai travaillé dans une manufacture. Je cousais des layettes de bonne qualité. Je voyais là mon destin. De quoi me venger du mauvais esprit qui asséchait mon ventre. J'ai envoyé des

---

3   YMCA : *Young Men's Christian Association* ; organisme caritatif nord-américain de plus de cent cinquante ans, qui fait la promotion d'une bonne santé grâce à un mode de vie sain et un sens des responsabilités envers le prochain et la société.

pyjamas dans mon ancien village, à des cousines en grossesse. J'ai reçu des photos de bébés grassouillets, les yeux pétillants. J'étais satisfaite de ma nouvelle vie.

Je suis vaillante à l'ouvrage, besogneuse. Tout allait trop bien. Je sais que les vivants vont vers la mort et qu'il faut mettre en ordre ses affaires avant de partir, mais là, comment aurais-je pu? C'est une mort subite qui a voulu de moi il y a quelques semaines. J'ai été retirée du monde des vivants, sans préparation. Je suis officiellement morte. Je n'existe plus. Je suis défunte. Je ne suis plus dans votre monde. C'est mon patron qui me l'a dit.

Nous égrenons nos morts comme les grains de maïs qui se retirent de l'épi et, comme tous ces grains, nous venons au monde ignorants des autres naissances. Depuis que je marche entre le monde des vivants et celui des morts, Madame la directrice, le vide autour me fait peur. Je vivais avec des voisins, entourée de banques, de magasins, de gens que je ne connaissais pas, de cris, d'autobus, de dépanneurs, d'odeurs, de parfums, de soucis, de lettres envoyées par le gouvernement et la compagnie de téléphone. Et aujourd'hui, il me faut désapprendre la vie.

Vous me direz que les morts n'ont pas à réapparaître, à quitter leur monde d'ombres. Ils ne doivent pas venir déranger les tristesses de leurs proches, ni celles des autres vivants, tous ceux qui existent légalement, ceux qui, contrairement à moi, ne figurent pas encore à la mention «feu untel» ou «notre regretté». Non! je ne me trompe pas, je suis morte, c'est écrit noir sur blanc. Quel péché mortel a donc commis ma famille pour que, par la grâce du mystère infini de l'Éternel, je doive à présent expier? Mon Dieu! Mon Dieu! Si au moins, Madame la directrice, j'avais pu sentir que mes jours étaient comptés, si j'avais été moribonde, si j'avais eu moins de vie… Je vous assure que j'aurais préféré une moitié de vie à cette mort.

Pourquoi cela m'est-il arrivé maintenant ? Au moment où j'avais un pays que le monde entier pouvait situer sans sortir une carte. Pas comme mon ancien, qui a un nom qui ressemble à une marque de café et dont à peu près personne n'a entendu parler. Non ! là, j'avais un vrai pays ! Avec un drapeau, des politiciens élus démocratiquement, des fonctionnaires qui ne demandent aucun sou pour leurs services, des policiers honnêtes. Un pays qui me donnait un bon travail, un confortable trois et demi avec de l'eau au robinet, un réfrigérateur sous garantie, un téléviseur couleur avec beaucoup de chaînes, un téléphone pour appeler chez qui je voulais, les autobus à la porte, des magasins où je pouvais entrer juste pour regarder.

Je mentirais si je disais que ma terre natale ne m'a jamais manqué. Mais j'ai évité la nostalgie qui perturbe en me rappelant les regards qui se chargent de crainte quand on nomme notre président à vie, les bidonvilles, les écoles sans banc, les fonctionnaires hautains, les dos qui se courbent, les viols, le banditisme, les enfants emportés par les fièvres comme les fleurs de manguiers fauchées par l'orage... Jamais je n'aurais échangé mon nouveau pays pour l'ancien !

Je veux vous raconter mon histoire, mais je m'embrouille. Tout ce qui m'est arrivé est désordre dans ma tête. Pardonnez-moi, Madame la directrice, j'en viens au fait. Je suis morte, c'est ce qu'on m'a dit. Dans la vie réelle, je n'existe plus.

Mon trépas, je l'ai appris il y a trois jours. Mon patron m'a expliqué que je ne pourrais plus coudre les layettes. Mon Dieu que je tenais à ce travail ! Sept dollars et demi par heure et le retour d'impôt ! Bien plus que j'aurais espéré au pays. Je gagnais mieux ma vie qu'un professeur là-bas, moi qui n'ai même pas un certificat d'études primaires. J'avais tout pour être bien, même des fêtes et des mariages chez mes amies africaines, haïtiennes ou grecques. Il y a des femmes du monde entier à la manufacture, comme à l'ONU !

Et voilà cette belle vie congédiée! Je vous écris le survenu comme si vous aviez été là, dans le petit bureau de Monsieur Goldstein.

– Madame Sanwi, vous ne pouvez plus venir au travail.

– Pourquoi? Qu'ai-je fait pour être jetée à la porte? Je suis une ouvrière besogneuse, consciencieuse, obéissante...

– Ce n'est pas ça qui est en cause. Je viens de recevoir une lettre de la Régie des rentes qui me demande de remplir un formulaire parce que vous êtes morte le 12 février.

– Comment ça, morte? Vous ne voyez pas que je suis vivante?

– J'ai téléphoné pour dire qu'il y a erreur, que vous êtes au travail ce matin, comme hier et les jours avant. Madame Sanwi, si vous êtes morte, je ne sais pas comment vous pouvez être là! Mais j'ai assez de problèmes de paperasses comme ça avec le gouvernement, arrangez-vous avec les fonctionnaires de la Régie des rentes et revenez me voir, vivante!

Je suis une vivante non vivante sur papier. Ma mort est une certitude légale. J'ai mon certificat de décès au nom d'Angelina Sanwi, mon nom, anciennement résidente au 2102, rue Bélanger Est, appartement 2. Je suis décédée le lundi 12 février 2001 à 13 heures 13 minutes des suites d'un accident opératoire. Je n'existe plus : ni assurance-maladie, ni assurance sociale, ni passeport, ni travail. Le compte de banque bloqué. Rayée en deux temps trois mouvements!

Je n'ignore pas les difficultés et le poids que, morte au retour inopiné, je représente. Le devoir est plus léger que la plume de la pintade, mais bien plus lourd que la montagne. Je suis prête à reconnaître mes torts. J'admettrai que je suis coupable, mais pas responsable. Car à tout péché, miséricorde, dit-on dans cette religion qui est la mienne sans que j'aie eu à la choisir. Je crois savoir que c'est vous qui avez compétence en ce qui concerne la défense d'une pauvre femme comme moi, renvoyée hâtivement du monde des vivants. Je veux me disculper de la mort et réapparaître bien vivante. Je veux reprendre l'autobus 100 Ouest, dire bonjour à Monsieur Goldstein, coudre mes layettes, donner mon numéro d'identification au guichet bancaire automatique sans me voir refuser mon argent.

Madame la directrice, dois-je être punie non pas pour un crime, mais pour un devoir familial? Voyez-vous, moi, Angelina Sanwi, je suis morte par sororité, même si ça été pour rien. Tous les jours, je pleure ma propre mort. Pas exactement la mienne, mais presque. J'étais deux existences, et maintenant je suis seule avec l'unique vie d'Euphrosima et son visa touristique expiré. C'est la vérité!

Là-bas, au pays, ma sœur était grosse de douze semaines. Inquiète, elle est allée faire un contrôle du gonflement à l'hôpital. Le médecin lui a dit qu'elle était enceinte d'une masse de chair qui n'était pas un enfant. C'était un fibrome qui grossissait et finirait par étouffer ses entrailles et son souffle. Même si c'était la chair de sa chair, il était absolument nécessaire de la supprimer. Il fallait ouvrir son ventre pour lui enlever ce non-bébé qui l'enflait. Seul un guérisseur assisté des meilleures machines, un médecin blanc, pouvait sauver Euphrosima. Madame la directrice, mes problèmes ont commencé là. Incarnation des *avuluka*, ce bébé-fibrome, ce tiers d'humain nous a envoyées au mauvais œil.

L'opération était dangereuse et coûteuse. Ma sœur risquait de ne plus pouvoir enfanter. Plus d'enfants! Imaginez le malheur! Notre famille était étrange par sa petitesse. Mon père, paix à son âme, a beaucoup souffert de sa demi-réussite. Les voisins et la grande famille lui faisaient remarquer qu'avec trois filles d'un premier lit, il lui fallait prendre femme plus virile. Peut-être qu'avec une autre, il aurait des mâles qui conserveraient mémoire de son passage sur terre!

Chez nous, un homme sans descendance faite d'au moins un garçon n'est qu'un demi-homme. Des femmes aux ventres prêts à produire des mâles ont été présentées à mon père. Converti à celui qui est mort sur la croix, il a résisté aux arrangements, comme un souffre-douleur. Ma mère n'a jamais été mise en concurrence. Malgré leurs efforts, aucun enfant mâle n'a éclairé le cercle de famille. Mon père est mort avant son heure. J'ai grandi entourée de trois femmes. Hélas ! le malheur qui nous avait à l'œil a arraché ma sœur cadette à notre joie : une forte fièvre, douze ans de vie transformée en chair froide. Je suis l'aînée et j'ai fait le deuil d'un ventre fécond depuis bien des années. Alors, imaginez mon état quand est venu le tour de ma sœur Euphrosima d'être menacée ! Un décès, un ventre aride, un bébé-fibrome, une mère veuve ménopausée, c'est plus qu'un malheur ! Ma famille de femmes allait-elle disparaître dans cette honte ? Ma sœur demeurait la dernière chance de repro-duction.

Madame la directrice, ma mort a commencé là. Ce non-bébé m'a condamnée. J'ai reçu des lettres et des lettres du pays et presque autant de coups de téléphone désespérés. Ma mère, des oncles, des tantes, des cousines, tous me confiaient leurs chants de désespoir sur le sort d'Euphrosima. Puis, un courrier express est arrivé, disant qu'elle allait mourir bien-tôt de sa non-grossesse. Ma sœur ! la mort !

La famille, chez nous, est sacrée. Si je ne faisais rien, com-ment vouliez-vous que je puisse ensuite porter le deuil ? Je pensais à la tristesse de mon père, déjà dans l'au-delà. J'ima-ginais ma mère, courbée par le chagrin qui la transformerait prématurément en jeune ancêtre. Je voyais les trente-quatre ans de ma sœur qui risquait de se refroidir à jamais. Je me repassais sans cesse sa voix désespérée, enregistrée sur mon répondeur téléphonique.

Tous les messages me disaient : « Tu es dans un pays de Blancs. Nous avons la science des morts, mais eux ont la science des vivants. Ils sont parvenus à faire patienter la mort. » Ah ! mon cœur me tambourinait de reproches comme le tam-tam *aburukuwa*[4] qui annonce le décès. J'ai donc regardé ce que je m'étais mis de côté.

Avec mes petits besoins, je faisais maigre. Je grattais en marchant le dimanche pour le Dollarama[5] et le petit circuit des poulets à deux dollars sur Saint-Laurent, j'achetais le riz cassé en vrac chez le marchand sri lankais de Parc-Extension, je me contentais des fruits et des légumes peu frais de Chez Zani Fruits au marché Jean-Talon, je faisais les brocantes, les ventes de garage, le bazar de l'église Saint-Eustache, le magasin Renaissance de la rue De Castelnau. Comme le dit mon amie haïtienne, Marie-Flore, la croix des pauvres est tellement mitée qu'elle s'effrite avant même qu'elle soit portée sur un dos. Avec tout ça, l'argent, j'en envoyais au pays, mais j'en gardais un peu à la caisse populaire, comme en cas d'en-cas.

J'ai puisé dans mes économies et j'ai envoyé de l'argent à ma sœur, pour son passeport. L'ambassade lui a donné un visa de deux mois pour venir me visiter. Il a fallu aussi que je paie son billet d'avion. Heureusement, j'ai eu le nom d'une agence de voyages pour immigrants qui offrait les plus bas prix.

Euphrosima est arrivée à Mirabel au début du mois de janvier. Cela faisait huit ans que je ne l'avais pas vue. Je l'ai serrée très fort dans mes bras, tant je me sentais tristesse. Elle avait grossi. Sa bedaine pointait, énorme, au centre de son boubou[6]. Je l'ai recouverte d'un bon manteau que j'avais acheté, en prévision, au magasin de l'Armée du Salut[7], sur la Plaza Saint-Hubert. Vous le savez autant que moi, Madame la directrice, l'hiver, au Québec, est inimaginable ! C'est une

---

4 Tam-tam *aburukuwa* : tambour constitué de deux peaux de chèvre fixées par des chevilles sur une caisse de bois, et frappé à main nue.
5 Dollarama : magasin où la quasi-totalité des articles est soldée à 1 $.
6 Boubou : *op. cit.* note 9, p. 30
7 Armée du Salut : organisme de charité qui gère plusieurs magasins d'articles d'occasion, notamment à Montréal.

douleur plus piquante que celle de l'épineux *razinga*[8] qui vous transperce de part en part.

Les jours suivants, il a fait un redoux. J'en ai profité pour montrer la ville à ma sœur. L'autoroute Métropolitaine, le pont Jacques-Cartier, le Parc Olympique, les marchés aux puces et bien d'autres endroits encore. C'était comme un mirage pour Euphrosima. Elle m'enviait au point d'oublier sa non-grossesse. Elle semblait déjà guérie. J'étais contente de l'avoir fait venir, même si elle me demandait chaque jour de la garder. Elle était prête à sacrifier son mari pour devenir elle aussi couturière à la manufacture. Je lui rappelais sa mission, au nom des Sanwi. Elle était notre dernière chance d'assurer la survie de notre lignée sur cette terre.

Avant qu'elle arrive, j'avais pris rendez-vous avec un docteur. Euphrosima et Angelina, Angelina et Euphrosima, nous étions faites de la même chair. Où était le problème ? J'étais sa sœur, elle était ma sœur. Notre père et notre mère nous aimaient pareillement. Peut-être était-ce pour cela que nous nous ressemblions tant physiquement, comme deux palmes de *rônier*[9]. Même visage, malgré nos trois ans de différence. Je regardais ma photo sur ma carte d'assurance-maladie et je voyais Euphrosima. Avais-je le choix ? La laisser mourir ? Laisser disparaître notre sang ?

Après les examens, le docteur a promis d'enlever ce mauvais bébé qui vidait l'énergie des entrailles. Il a dit que tout se passerait bien. Je suis entrée à l'hôpital, optimiste.

Si tu marches vite, tu attrapes le malheur, si tu vas lentement, c'est le malheur qui t'attrape. Le docteur Gagnon est venu me parler dans la salle d'attente, avec son teint de poulet fraîchement tué. Il m'a expliqué que le fibrome m'avait

---

8 *Razinga* : arbrisseau des zones semi-arides, disséminé par la transhumance des bovins vers la côte.

9 *Rônier* : borasse à feuilles étalées en éventail dont on fait le vin de palme et dont les bourgeons (cœurs de palmier) sont comestibles.

emportée sur la table d'opération. Je ne me réveillerais plus jamais.

J'ai pleuré tout l'après-midi du 12 février 2001 et toute la nuit. Je voyais un fleuve de sang s'écouler de mon ventre.

Hélas! surseoir à la mort n'avait pas marché cette fois-ci. L'homme-médecine n'avait pas su déjouer le mauvais œil des *avuluka*. J'aurais dû le prévenir avant qu'il donne sa piqûre de faux sommeil. Lui dire qu'il devait lancer du lait caillé sur mon ventre malade, pour débusquer l'esprit hostile. Mais nous sommes de deux mondes et il ne m'aurait pas écoutée. Et maintenant, il est trop tard, je suis morte.

Ce qui m'attendait après le choc de la chair froide? Je ne savais pas comment mourir dans mon nouveau pays. Mon amie Iona m'a expliqué pour les arrangements avec le salon funéraire, le certificat de décès et le chèque d'aide du gouvernement. Elle est Grecque. Elle avait perdu sa mère trois mois auparavant. Le monsieur de chez Dallaire, avec son catalogue, parlait, parlait... d'embaumement, d'inhumation, de crémation, de colombarium, de chêne, de pin, de *plywood*[10], de carton, de fleurs, d'arbustes, de caveaux, d'urnes, de transport hors du Canada et je ne sais quoi d'autre. Pourquoi tout ça, si c'est pour aller au ciel?

Même si l'incinération est contraire à nos coutumes, j'ai accepté d'être brûlée comme flambe le *néré*[11] dans les foyers, au pays. Nos ancêtres ont certainement été fâchés, mais il ne me restait pas assez d'argent pour faire autrement. Un carré de terre pour le repos éternel est hors de prix ici. Au moins, j'ai pu obtenir qu'avant de finir dans le feu des humains, mon cadavre soit recouvert d'un linceul blanc, la couleur du deuil chez nous.

---

10 *Plywood* : contreplaqué de bois dont on fait, entre autres, des cercueils de crémation bon marché.

11 *Néré* : arbre tropical qui produit beaucoup de chaleur en brûlant.

Ensuite, j'ai oublié que j'étais morte et je suis retournée travailler à la manufacture. J'ai continué ainsi, en ravalant mon chagrin, jusqu'à ce matin où Monsieur Goldstein m'a rappelé que j'étais officiellement disparue.

On m'a dit qu'il n'y avait pas en ville meilleur confessionnal que le vôtre. Je m'aménage votre compréhension. On m'a parlé de votre empathie et de votre politique de clémence. On m'a dit que vous examinez les dossiers avec beaucoup d'attention, que votre Commission des droits de la personne est versée dans les subtilités procédurières. Vous êtes une femme. Je suis une femme. Nous savons qu'en toute chose, les femmes sont secondaires. Vous qui êtes une femme au-dessus des femmes, faites mentir cette vérité. C'est dans cet espoir que je vous écris si longuement. Il n'y a plus rien à faire pour la lignée des Sanwi. Elle n'a pas été sauvée et elle va disparaître. Il n'y a plus que mon existence qu'il vous reste à résoudre.

Je vous prie, Madame la directrice, d'accepter mes salutations les plus distinguées et mes sincères remerciements pour ma réapparition parmi les vivants.

Angelina Sanwi

7

LA CONFESSION

Mon Dieu,
j'ai un extrême regret de Vous avoir offensé,
parce que Vous êtes infiniment aimable,
et que le péché Vous déplaît. Pardonnez-moi
par les mérites de Jésus-Christ, mon Sauveur.
Je me propose, moyennant Votre sainte grâce,
de ne plus Vous offenser et de faire pénitence.

Dimanche est Ton jour et je viens à genoux vers Toi, Ô Gardien de mon âme. Je viens à Toi, mon cœur transformé en une énorme larme perlant à ma poitrine, sous le regard de nos saints tutélaires, extatiques et martyrs, figés dans le verre et l'étain des vitraux de cette nef, percés par Tes rayons lumineux. J'ai toujours vécu dans Ta crainte, mais aujourd'hui, je T'ouvre le vrai livre de ma vie. Tu m'as fait naître dans le péché originel pour souffrir avant de disparaître de cette terre et me réincarner dans Ton paradis. Je ne peux me confesser à personne d'autre que Toi, car Toi seul peut comprendre.

Moi, sœur Madeleine, carmélite du couvent des Sœurs immaculées du Purgatoire et de la Réparation, j'ai répondu à l'appel de Ton Fils Jésus qui m'invitait à tout laisser pour entrer dans un ordre contemplatif. Je T'ai épousé à seize ans, en présence de ma famille, honorée par mon engagement.

Je T'ai été fidèle pendant trente-deux ans, ce que Tu dois considérer dans Ta décision finale. Tu sais aussi, Ô mon Dieu, que sans la disparition du Conservateur de Rome et la Réforme des Ordres, les portes de mon cloître seraient demeurées fermées et ma vie faite de silence et de recueillement. Et rien de tout cela ne serait survenu. Oui, mourir est parfois délivrance et, si j'osais, je me comparerais à Marie de Beauvais que Toi seul peut juger. Mais je n'en ai pas le droit, car son amour pour Baras, le garde champêtre, fut pur[1].

Dans Ta miséricorde, souviens-toi que je me suis investie de bonne foi dans ma nouvelle mission, me disant que l'ouverture au monde me rapprochait de la Croix de Notre Sauveur, Ton Fils, le Christ à travers lequel s'édifie l'Église. Cependant, je Te le confie, mon divin Époux, mon enfermement m'avait déshabituée de la vie et il m'a été difficile de passer des prières dans ma cellule de recluse tapissée d'images pieuses à la relation d'aide à l'extérieur des murs du cloître de la rue de Ramesay. J'ai longuement médité sur les paroles de sagesse de notre sœur supérieure, Marie-Francine de l'Annonciation : « Nous devons désormais, très chères sœurs, offrir à la communauté un service pastoral dans la logique d'un Dieu qui est lui-même devenu homme. »

Depuis dix jours, je jeûne, je multiplie mes oraisons, des matines aux vêpres, j'invoque l'esprit de notre mère fondatrice, l'ardente, la mystique et bienheureuse Marie De Borduas, et je prie sœur Marie-Madeleine Labbé, notre sainte patronne à

---

1   Épris du regard troublant et mystérieux de sœur Marie, qu'il avait à peine aperçue dans l'embrasure d'une fenêtre du cloître donnant sur la rue du Devenir, le pauvre jeune homme vint ensuite tous les après-midi s'asseoir sous un saule pleureur, espérant, de cet observatoire, revoir le visage de son inaccessible bien-aimée, laquelle multipliait les neuvaines purificatrices dans l'espoir que le désir la déserte comme l'eau du Sahara. Baras mourut de mélancolie et Marie se laissa dépérir à son tour, refusant toute nourriture terrestre.

laquelle Tu es généreusement apparu pour lui donner les stigmates de Ton Fils et humecter sa langue du sang de Notre Sauveur. Il ne nous est plus permis d'expier par le fouet et les clous. Je le regrette, car les sévices corporels purifiaient nos âmes mieux que les rosaires et les neuvaines, mieux que l'absolution du prieur Augustin Willard Dionne, notre père confesseur. Je regrette davantage encore de ne pas pouvoir réclamer aux hommes du Saint-Office l'étranglement au garrot ou la mort sur un bûcher, le crucifix levé bien haut, le regard tourné vers Ton Royaume. Je ne peux que m'en remettre à Ton jugement dans le secret de mon cœur. Toi, le Grand Orfèvre, l'Horloger, le Créateur de toute chose, Tu vois tout de Là-haut, j'en appelle à Ta miséricorde, qui est infinie. Mon Bien-Aimé, n'attends pas le Jugement dernier pour m'infliger mon châtiment, sois miséricordieux, je suis mortelle, prends ma vie maintenant.

J'ai été victime du Démon, Ton déloyal concurrent, maudit soit-il. Depuis, il me pourrit de mots infâmes coulant de sa bouche hideuse : prépuce, clitoris, poils, sexe... Je ne peux continuer, cela est trop douloureux et, en même temps, impossible à chasser de mon esprit troublé. Si seulement je ne m'étais pas donnée corps et âme à ma nouvelle mission ! Rappelle-Toi que c'est au nom de l'Évangile, pour la Passion de Ton Fils, que j'ai travaillé au salut des réfugiés de tous les pays que Tu as créés.

Il dormait au Havre Papineau, un gîte d'hiver pour sans-abri, tenu par nos frères franciscains à Saint-Hippolyte-des-Monts. « Frappez et l'on vous ouvrira » dit Ton commandement. Il est venu à moi, fier, digne et propre. Il s'appelle Ansumane Kinara. Il est Africain, né en Guinée Bissau, dans le village de Malanpage Marques. Chez lui, la guerre civile sévit, le sang coule abondamment et vilement. Sa femme et sa fille ont été tuées. Il a transité par six pays, du Sénégal au

Tchad, en passant par la Libye et le Maroc, avant d'atterrir en France et de là, au Québec. C'est moi qui me suis occupée du suivi de son dossier de régularisation à Immigration Canada. Je Te l'avoue, sans autre viatique que ses malheurs, Ansumane est vite devenu mon préféré parmi tous les désemparés qui fréquentent notre centre d'aide. Il faut dire que je le voyais souvent, car il était toujours prêt à nous donner un coup de main, tantôt pour la réfection de nos modestes locaux, tantôt pour nos courses ou pour porter un paquet chez un nécessiteux. Je suis parvenue à lui trouver un travail de plancher à la manufacture Perrot et il m'a remerciée en versant la moitié de sa première paye aux œuvres de notre communauté.

Comme Tu le vois, Toi l'Éternel, c'est un bon chrétien. Il cite fréquemment l'Épître aux Corinthiens. Il aime son pays, malgré les épreuves qu'il a subies là-bas. Il est de l'ethnie des Balantes. Son peuple cultive l'anacardier et tire de sa pomme le *Cadjou*, un vin fort prisé. Il se coiffe en permanence d'un bonnet rouge qui indique son état d'initié circoncis, statut auquel il a accédé après les épreuves du bois sacré. Je ne Te cache pas, mon Dieu, que ses récits me font voyager, me font rêver...

Pendant l'instruction de sa demande de statut de réfugié, j'ai contacté en son nom la Croix-Rouge et Médecins sans frontières. Bénédiction! une missive officielle est arrivée m'informant que ses deux enfants survivants, Oussou et Balo, avaient été retrouvés. Ils vivaient au camp de réfugiés de Borar. Il y avait dans l'enveloppe une autre lettre adressée à Ansumane. Je la lui ai remise, en mains propres, pour qu'il la lise quand il serait seul, chez lui. Il était si heureux pour ses fils qu'il pleurait de joie et je l'accompagnais, au comble de l'émotion. Il ne cessait de me remercier, et moi, de lui dire que c'était à Toi qu'il devait ce miracle.

Le lendemain matin, Ansumane m'attendait à la porte de notre bureau d'aide. Il voulait me parler en privé. Cela tombait bien car sœur Catherine était souffrante et personne ne pouvait la remplacer avant midi. Comme il pleuvait, il ne viendrait pas grand monde. Je pensais donc avoir tout mon temps.

Ansumane semblait pressé de se confier à moi, aussi je me suis dépêchée d'ouvrir et de le faire entrer. Une fois à l'intérieur, sans même retirer son imperméable, il a sorti de sa poche la lettre qu'il avait reçue la veille. Il me l'a montrée. C'était inutile, elle était écrite en portugais, la langue des colonisateurs de son pays. Alors, il a commencé à crier : «*Sabari, Sabari, Sabari*!»[2] Je ne parvenais pas à le calmer, malgré le fait que j'invoquais Ton aide. Il était devenu fou, je Te le jure, il ne savait plus ce qu'il faisait. Sois miséricordieux, mon Divin Époux, il m'a renversée sur la table en criant : «Pardonnez-moi, sœur Madeleine-Marie, mais il le faut, je dois le faire, vous êtes mon salut!»

J'ai honte, mon Dieu! Cet homme pour qui j'ai de l'estime a relevé ma robe et fouillé de ses doigts mon bas-ventre. J'ai voulu résister, mais mon corps ne m'obéissait pas, mes cuisses s'entrouvraient et un liquide chaud coulait là où sa main me caressait. Pourquoi étais-je sans voix? Comment s'était-il retrouvé à demi-nu? J'ai vu son membre mâle disparaître en moi et j'ai cessé de Te supplier pour Te louer de m'avoir faite femme. Pardonne-moi, mon Créateur, je blasphème. Mais si cette fente qui n'avait jamais été violée est une fenêtre de l'Enfer comme on me l'a enseigné, Satan est puissant, car j'y ai pris du plaisir! Cette extase faite de douleur et de jouissance, je ne voulais pas qu'elle s'achève. Il a fallu le long râle d'Ansumane pour que je commence à reprendre mes sens. J'ai pensé à Marie-Madeleine, la perdue d'entre les perdues. Et à notre mère Ève qui a commis le premier péché d'où tous les autres sont issus. J'ai confié ma vie à la protection céleste

---

2 *Sabari* : pardon.

de la Sainte Vierge qui a enfanté Ton Fils dans Ton mystère de l'incarnation incorporelle.

Cet homme n'est pas mauvais et j'implore Ta miséricorde pour lui. Il m'a tout expliqué et je vais, à mon tour, Te confesser son âme. La lettre était du marabout[3] de son village, réfugié dans le même camp que ses fils retrouvés. Cet homme lit l'avenir, aussi a-t-il su que le mauvais œil poursuit Ansumane. Il a vu que sa famille serait anéantie, à moins qu'il ne déflore une femme. C'est ce que ce marabout lui a écrit. Mon Dieu! Tu le vois, moi, sœur Madeleine-Marie, par ma virginité sacrifiée, j'ai sauvé la vie de ses deux enfants. Sois miséricordieux, Toi le Tout-Puissant, ce père désespéré n'a fait que son devoir envers sa descendance. S'il avait agi par vice, il ne m'aurait pas tendu le coupe-papier en m'implorant de le tuer.

Je T'ai tout dit, mon Divin Époux. Fais de moi ce qu'il Te plaira mais, je T'en prie à genoux, aie de la compassion pour Ansumane. Ultimement, c'est Toi qui as le dernier mot!

---

3   Marabout : mélange de devin traditionnel vaguement ou syncrétiquement islamisé.

M collection Mosaïque

DIRIGÉE PAR DANIELLE SHELTON

Avec la collection «Mosaïque», l'éditrice s'est donné pour mission de faire paraître des nouvelles et des romans d'auteurs québécois qui ont vécu ou qui ont voyagé dans un autre pays et en ont rapporté des histoires drôles ou dramatiques, souvent inspirées d'anecdotes, de faits divers ou de l'actualité politique et sociale.

Il s'agit de récits qui témoignent du choc des cultures, de la méconnaissance que nous avons les uns des autres, et ce en dépit du phénomène de globalisation auquel nous assistons depuis quelques années déjà et qui se dessine, à tort ou à raison, comme la grande voie de l'avenir.

— roman —

ZACHARIE
IL ÉTAIT UNE FOIS LE MAROC – ROMAN
Maxime Lejeune. *Zacharie*, Montréal, Adage, 2003, 167 p.

— nouvelles —

TAÏKO
DES NOUVELLES DU JAPON
Marie-Josée L'Hérault. *Taïko*, Montréal,
Lanctôt Éditeur et Danielle Shelton (Adage), 2000, 129 p.

CHÉVERE!
DES NOUVELLES DE COLOMBIE
Vincent Nadeau. *Chévere!*, Montréal, Adage, 2001, 112 p.

AKWABA
DES NOUVELLES D'AFRIQUE DE L'OUEST
Zakaraia Lingane. *Akwaba*, Montréal, Adage, 2004, 88 p.

WO AI NI
DES NOUVELLES DE CHINE
Lisa Carducci. *Wo ai ni*, Montréal, Adage, 2004 (à paraître, nov. 04).

ZACHARIE
IL ÉTAIT UNE FOIS LE MAROC – ROMAN

Maxime Lejeune. *Zacharie*, Montréal, Adage, 2003, 167 p.

Maxime Lejeune a vécu au Maroc. Il y a travaillé pour le ministère des Affaires étrangères français. Docteur en littérature française, licencié en littérature polonaise, conseiller pédagogique, collectionneur d'affiches de théâtre et grand voyageur, il nous livre sur un ton humoristique un conte philosophique dont le héros n'est autre qu'un perroquet. Le sien, celui-là même qui, profitant de la maladresse de la vieille Micha, s'est échappé de sa cage, pendant que lui, roulait tranquille sur cette si belle route de Malabata...

Fabuleux voyage que celui de Zacharie qui part avec des cigognes, se retrouve chez un vétérinaire qui voue un culte à la mule, fait la connaissance d'un philosophe et de trois fous, se met au service d'un écrivain public, devient le dieu puis le tortionnaire des pigeons, s'exile, sa tête étant mise à prix, trouve refuge dans un café et, de là, chez un épicier, est vendu à un marchand de fraises, s'échappe à nouveau, erre en rêvant de devenir écrivain ou dissident politique, y renonce pour se consacrer à la parole, s'installe dans l'école d'un douar où il transforme les élèves en génies, ruine des carrières et s'épuise à la tâche, s'enfuit en train avec un aveugle, se lie d'une véritable amitié avec l'éclairagiste d'un studio de cinéma, croise un bonimenteur, décide de ne plus ouvrir le bec, est recueilli par un coiffeur tchèque qui vit parmi les Touareg et, finalement, s'enfonce dans le désert pour atteindre un pays de rêve où tout s'expliquera..

WO AI NI
DES NOUVELLES DE CHINE

Lisa Carducci. *Wo ai ni*, Montréal, Adage, 2004, 144 p.

La vie de Lisa Carducci en Chine est remplie d'histoires d'amour. Elle les écoute et les observe, en journaliste ou en amie, parfois en mère ou en grande sœur. Parce qu'elle est étrangère, on lui confie plus facilement joies, déceptions, peines ou espoirs. On lui demande un conseil, un service personnel, une aide matérielle, on la visite, on lui raconte une légende, on lui offre une pêche de longévité.

Toutes inspirées de faits vécus, les 41 nouvelles de ce recueil racontent la vie amoureuse en Chine, dans les campagnes et dans les villes, autrefois et aujourd'hui. Des relations souvent compliquées par les contextes socio-économique, juridique et politique, aussi bien que par la culture traditionnelle qui se heurte au modernisme. Les jeunes hésitent entre le respect des conventions et la liberté à l'américaine. Certains osent aimer des étrangers, d'autres s'intéressent uniquement à leur passeport.

Wo ai ni se traduit par « Je t'aime ». Les 13 caractères chinois de la couverture représentent différents styles du mot « *ai* » qui signifie « amour ».

TAÏKO
DES NOUVELLES DU JAPON

Marie-Josée L'Hérault. *Taïko*, Montréal,
Lanctôt Éditeur et Danielle Shelton (Adage), 2000, 129 p.

Témoin d'une époque de mondialisation et d'abolition des frontières, la Québécoise Marie-Josée L'Hérault puise au cœur de son expérience de vie au Japon pour explorer avec finesse les thèmes de l'exil et du choc culturel. Son ton est vif, naturel, souvent humoristique, voire ironique, mais toujours juste.

L'auteure nous entraîne dans un véritable voyage ethnologique et nous fait découvrir, au travers de savoureuses anecdotes, les mœurs et les valeurs nippones. Par là même, elle ouvre la voie à un questionnement de nos certitudes sur notre capacité à entrer en contact avec l'autre, celui qui vient d'ailleurs.

Les sept nouvelles du recueil nous transportent dans des univers où les observateurs sont des étrangers. Tantôt, ce sont des Occidentaux qui, selon le cas, s'ouvrent ou se ferment à l'étrangeté de ce qu'il leur arrive au contact d'une culture totalement différente de la leur. Tantôt, ce sont des Japonais confrontés aux mystères insondables des comportements occidentaux ou emprisonnés dans leur propre monde.

CHÉVERE!
DES NOUVELLES DE COLOMBIE

Vincent Nadeau. *Chévere!*, Montréal, Adage, 2001, 112 p.

Vincent Nadeau a vécu en Colombie et y a enseigné. Ce pays qui a toujours connu la violence, il l'a parcouru les yeux et le cœur grand ouverts, loin des hôtels et des plages à touristes. Dans le contexte très actuel du projet de libre-échange des Amériques, les images qu'il en a rapportées constituent un voyage ethnologique tout autant périlleux que nécessaire, parce qu'il questionne notre responsabilité personnelle dans la tolérance institutionnalisée de la violation des droits de la personne.

Il n'y a pas de mot plus typiquement colombien que *Chévere!*, qui se prononce *TCHÉvéré*, et signifie *C'est génial*. L'auteur s'en sert comme d'une clé pour accéder à une âme qui jongle, non sans ironie, avec les dualités incontournables de la vie colombienne : vie et mort, rires et pleurs, tendresse et férocité. Il en résulte des nouvelles saisissantes, tant par leur brièveté que par la force qui s'en dégage.

Chévere!, c'est cinquante portraits : des enfants de la rue, des enfants-esclaves, des jeunes filles rêveuses, des femmes exploitées, trompées, des hommes de tous les milieux, prêts à tout dans un système politique et économique où s'affrontent bonnes intentions, réformisme, démagogie, corruption endémique et criminalité. Parfois, c'est une vie entière que l'on découvre, d'autres fois, un moment sous haute tension.

AKWABA

DES NOUVELLES D'AFRIQUE DE L'OUEST

Mcollection
osaïque

Achevé d'imprimer
en octobre 2004,
sur les presses de Imprimeries Transcontinental inc.,
division Métrolitho / Imprimé au Canada